A-Z PORTS

G000298327

CONTEN[TS]

REFERENCE

Motorway	**M27**	Map Continuation / Large Scale Town Centre	10 · 4
A Road	A27	Car Park Selected	P
B Road	B3333	Church or Chapel	†
Dual Carriageway		Fire Station	■
One-way Street — Traffic flow on A Roads is indicated by a heavy line on the driver's left.	→	Hospital	H
Large Scale Pages Only	⇒	House Numbers A & B Roads only	83 96
Restricted Access		Information Centre	i
Pedestrianized Road		National Grid Reference	⁴70
Track		Police Station	▲
Footpath		Post Office	★
Residential Walkway		Toilet	▽
Railway — Level Crossing / Station / Tunnel		With facilities for the Disabled	♿
		Viewpoint	☀
Built-up Area	TALBOT RD.	Educational Establishment	⌐
		Hospital or Hospice	⌐
		Industrial Building	⌐
		Leisure or Recreational Facility	⌐
Local Authority Boundary	—·—·—	Place of Interest	⌐
		Public Building	⌐
Postcode Boundary	— — —	Shopping Centre or Market	⌐
		Other Selected Buildings	⌐

SCALE

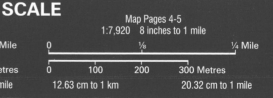

Map Pages 6-55
1:15,840   4 inches to 1 mile

0 — ¼ — ½ Mile
0 — 250 — 500 — 750 Metres
6.31 cm to 1 km   10.16 cm to 1 mile

Map Pages 4-5
1:7,920   8 inches to 1 mile

0 — ⅛ — ¼ Mile
0 — 100 — 200 — 300 Metres
12.63 cm to 1 km   20.32 cm to 1 mile

Geographers' A-Z Map Company Ltd.

Head Office:
Fairfield Road, Borough Green, Sevenoaks, Kent TN15 8PP
Telephone 01732 781000 (General Enquiries & Trade Sales)

Showrooms:
44 Gray's Inn Road, London WC1X 8HX
Telephone 020 7440 9500 (Retail Sales)
www.a-zmaps.co.uk

This map is based upon Ordnance Survey mapping with the permission of The Controller of Her Majesty's Stationery Office.

© Crown copyright licence number 399000. All rights reserved.

Edition 4 2001
Copyright © Geographers' A-Z Map Co. Ltd. 2001

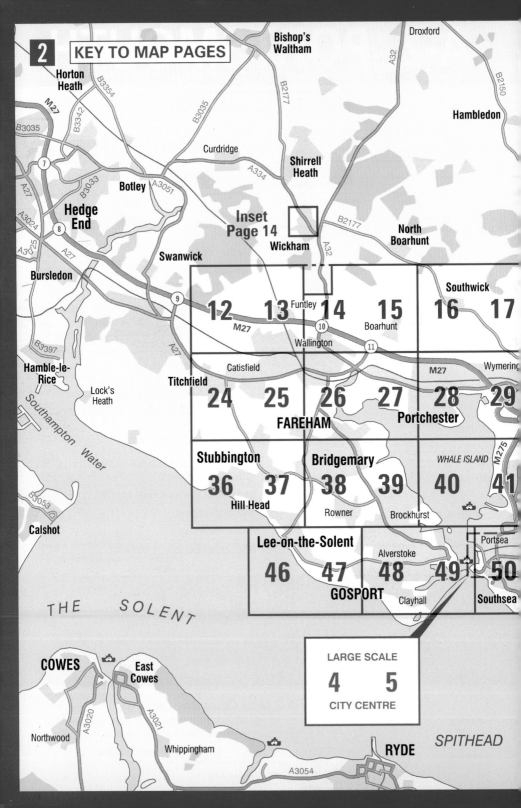

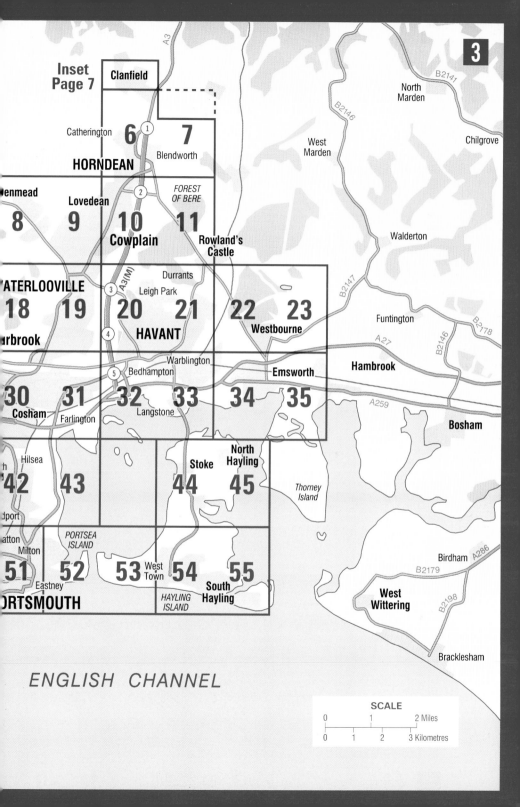

3

Inset Page 7

Clanfield

A3

B2141

North Marden

Chilgrove

B2146

West Marden

Catherington

6 ①

7

HORNDEAN

Blendworth

Walderton

enmead

8

Lovedean

9

② FOREST OF BERE

10

Cowplain

11

Rowland's Castle

B2147

Funtington

B2146

B2178

ATERLOOVILLE

18

19

A3(M)

③

Durrants

Leigh Park

20

21

HAVANT

22

Westbourne

23

A27

Hambrook

urbrook

④

A259

Bosham

Warblington

⑤

Bedhampton

30

Cosham

31

Farlington

32

Langstone

33

34

Emsworth

35

Hilsea

42

43

Stoke

44

North Hayling

45

Thorney Island

dport

atton

Milton

PORTSEA ISLAND

Birdham

A286

B2179

51

Eastney

52

53

West Town

54

55

South Hayling

West Wittering

B2198

ORTSMOUTH

HAYLING ISLAND

Bracklesham

ENGLISH CHANNEL

SCALE

0   1   2 Miles

0   1   2   3 Kilometres

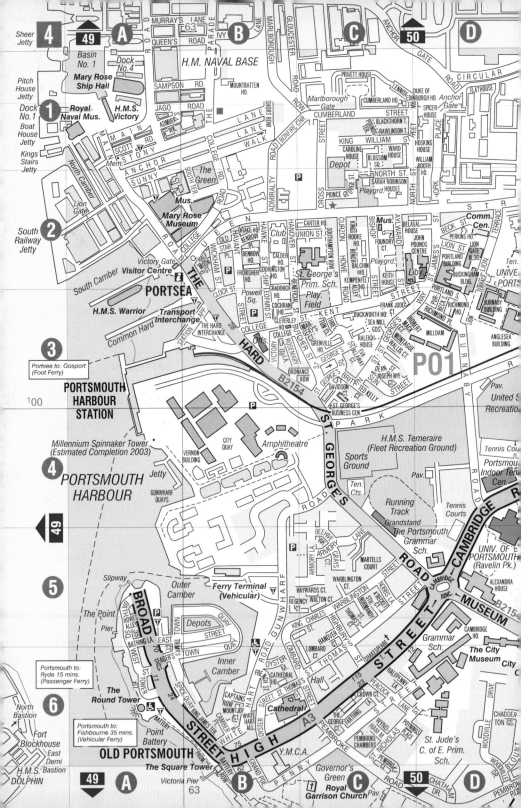

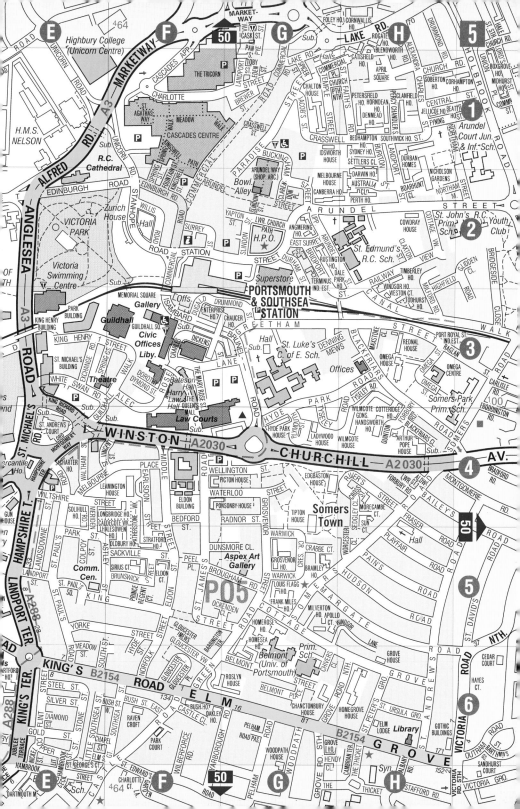

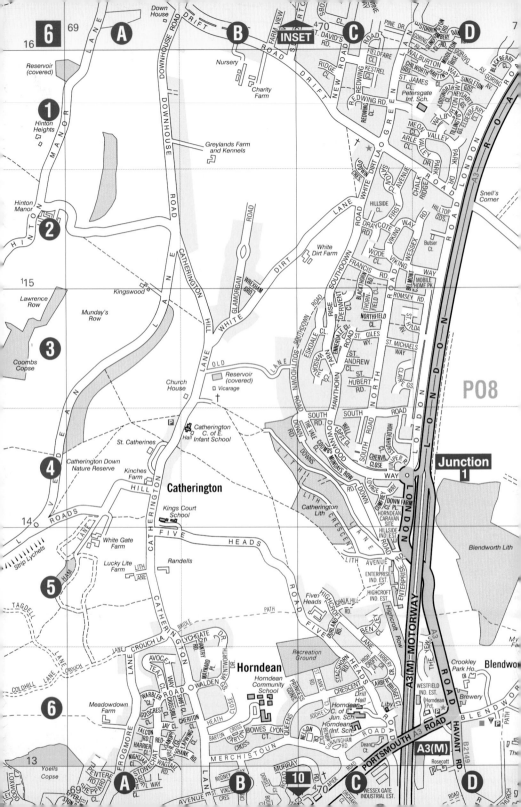

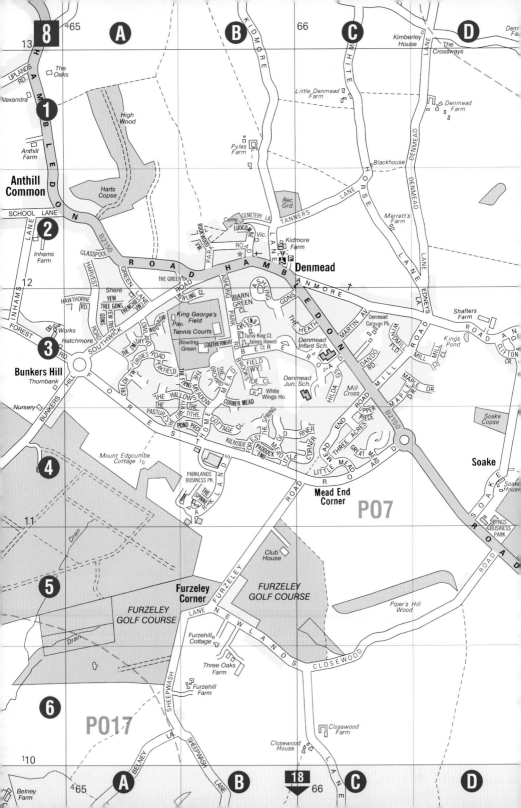

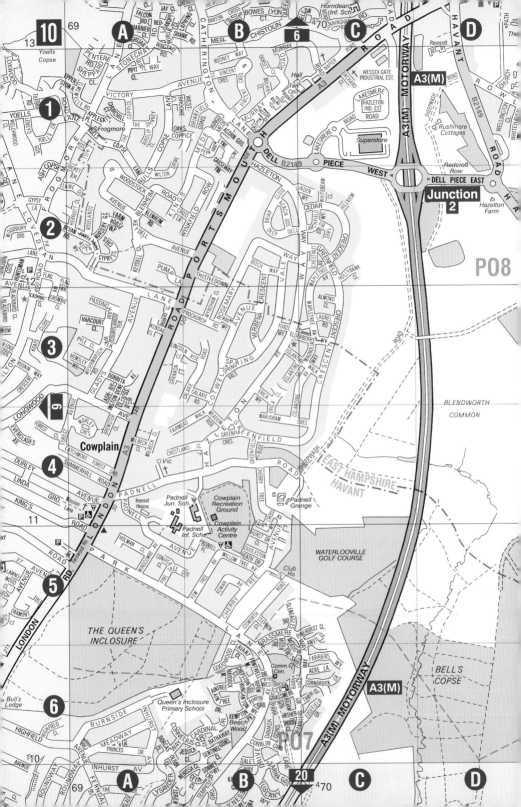

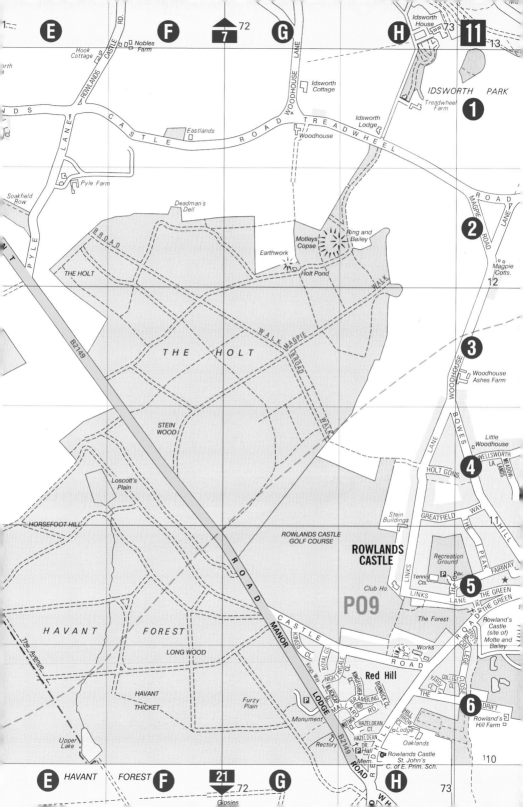

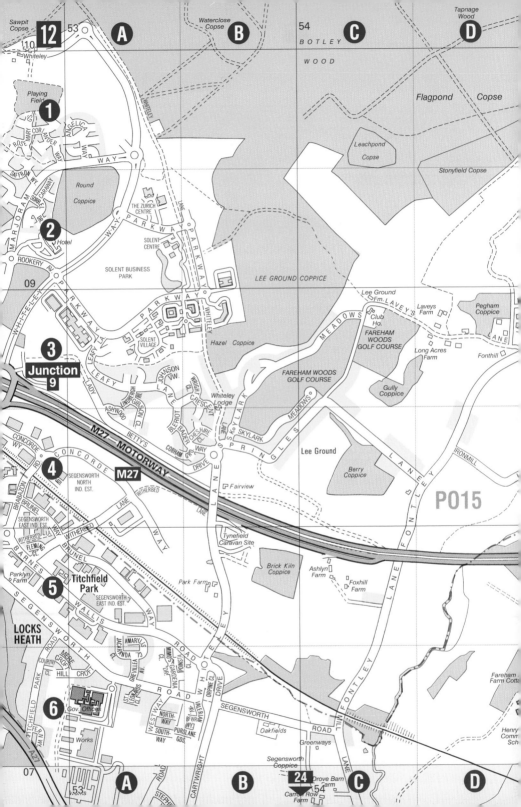

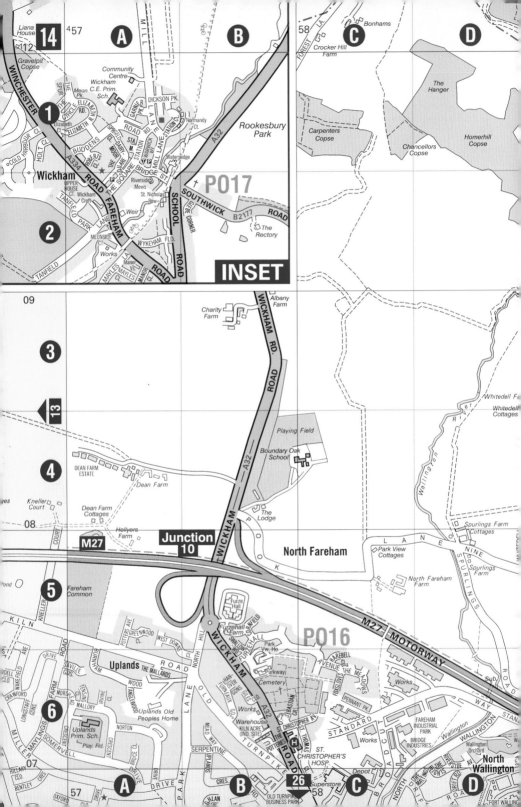

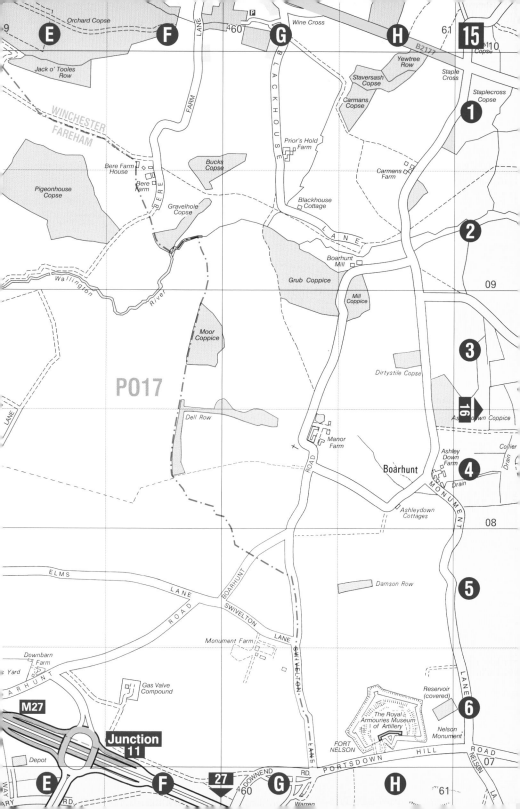

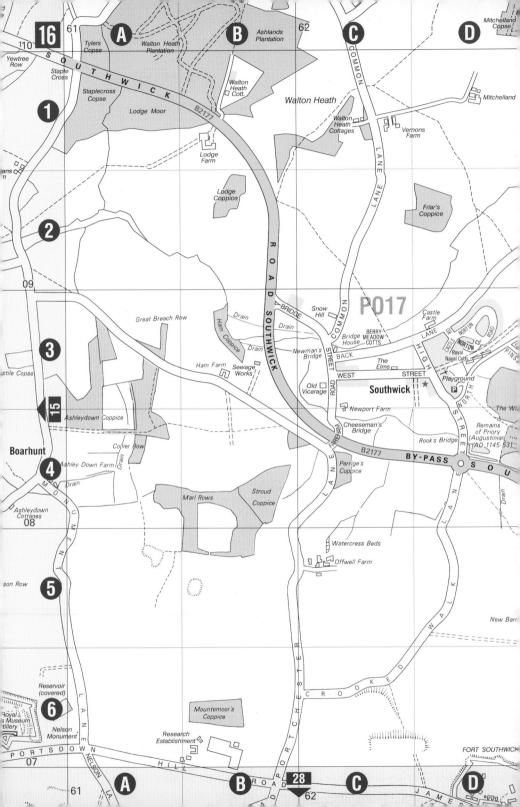

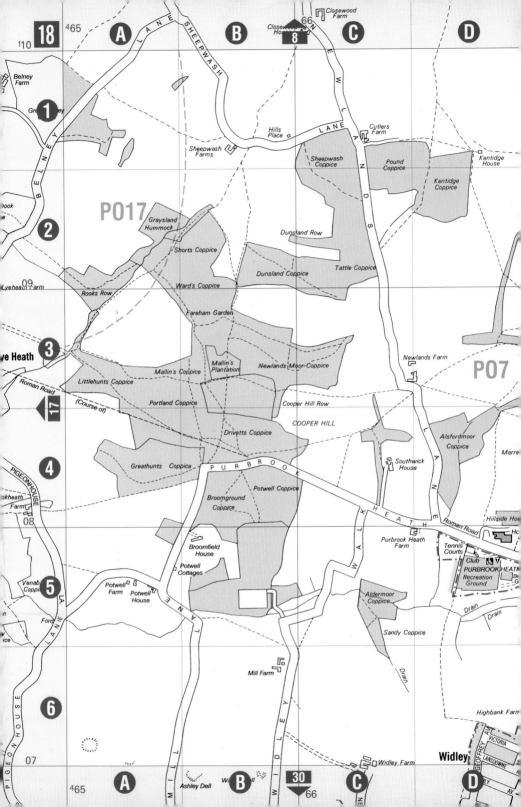

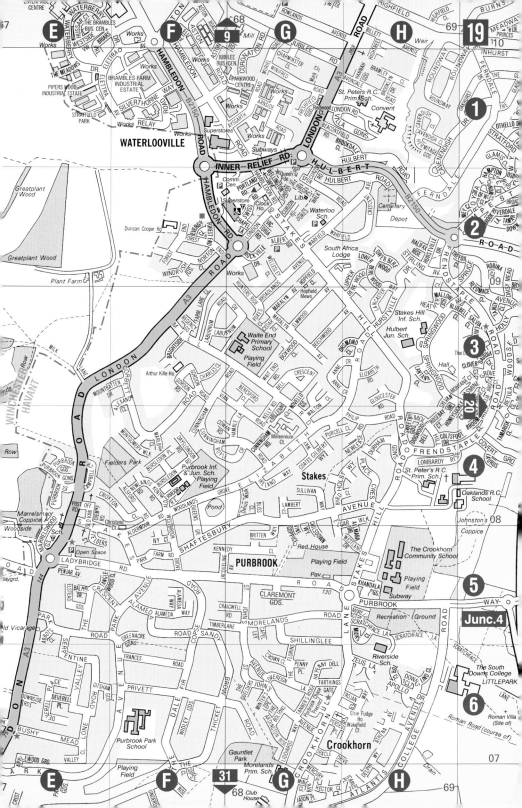

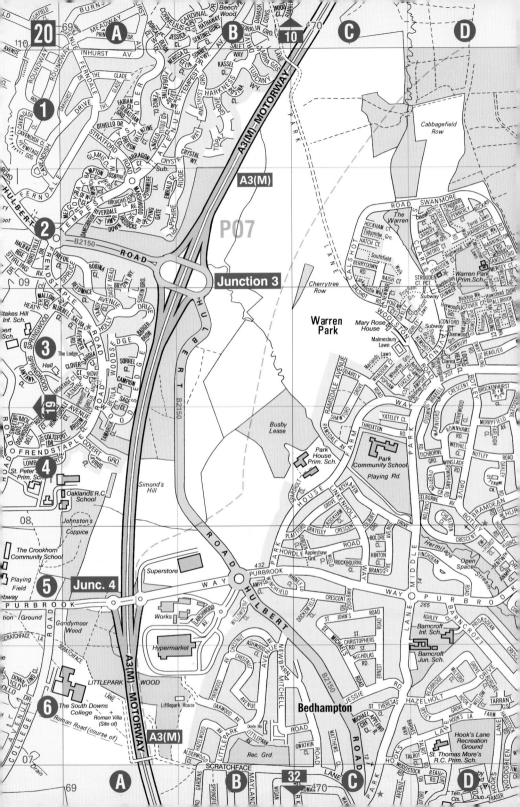

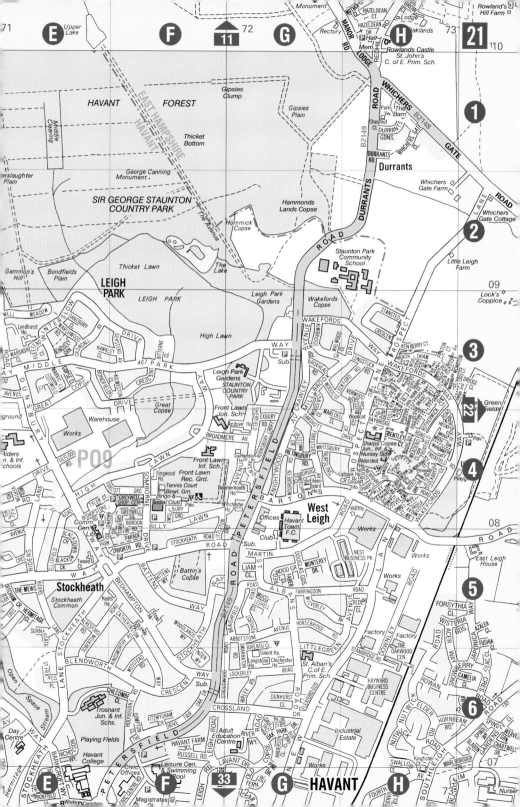

Saw Mill

The Garden Cottage

STANSTED PARK

Park Slip

Stubble Mare Bungalow

Pennyroyal Wood

Holme Farm Cottages

Lodge

The Groves

Park Lane

1

Pheasant Court Bungalow

Hams Copse

Stubbermere

Furze Belt

Pits Copse

Sindle's Farm

RACTON COMMON

Pond Cottage

Brick Kiln Ponds

Redhouse Corner

Watercress Beds

2

09

Pond Copse

Three Corner Piece

Aldsworth House

Gunter's Copse

Bridge Cottage

Aldsworth

Aldsworth Manor

3

Valley Farm

Broadwash Bridge

Sussex Cottages

Sawmill's Farm

Westbourne Common

River Ems

Foxbury Dell

ongcopse Hill

Cricket Ground

Fords Copse

Var Cottage Wood

Rec. Ground

Venture Farm

P010

Didmans Copse

Riverside Cottages

4

ongcopse Hill

Monk's Farm

SILVERLOCK LANSDOWN TER.

Ractonpark Dell

08

Pond

B2147

Lane

Hollybank Cottages

COVINGTON RD

BYERLEY CL ORCHARD WHITLEY CL

ELLESMERE

WILLOW GDS

Westbourne Prim. Sch.

Hall

River Ems

Deepsprings

Var Cottage

Meadow View

5

OPSE

Sunnyside

SCHOOL LA

NORTH STREET

PARADISE ST

RIVER MILL ROAD

CHURCH RD

CROCK FORD RD

ROMFIELD RD

GREBE DR

KINGSHALL

KINGSFISHER DR

SHELY

EDGELL

The Glen

Drain

CEMETERY

WESTBOURNE CARAVAN PARK

Chapel

Cemetery

Westbourne CARAVAN PARK

DUFFIELD LANE

SOUTH LANE

WALNUT TREE DR

6

The Wren Centre

HAROLD RD

EAST ST.

FOXBURY

Chantry Farm

Cemetery

Lane CEMETERY

WESTBOURNE

KING ST

OLD RECTORY CL

THE SQUARE

THE NEW

Westbourne Court

Westbourne

South Lane Farm

Rivermead CL

MEADOW CL

WESTBOURNE AV

INNES WD

Hall

WHITECHIMNEY ROW

Bourne House

Lumley Farm

OLD

Brook Cottages

Lumley House

LANE

Mylaway

FARM LANE

STEIN RD

A27

07

ELDERFIELD CL

WICKOR CL

WAY

WESTBOURNE

Ems

MILL

OLD

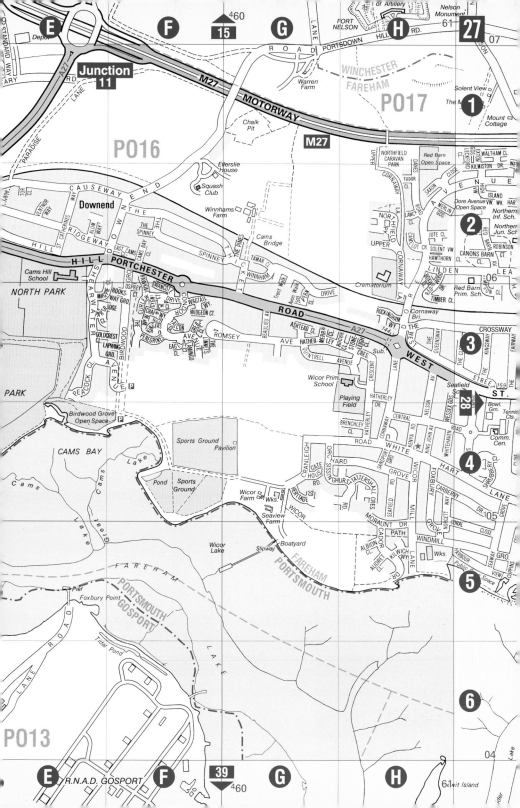

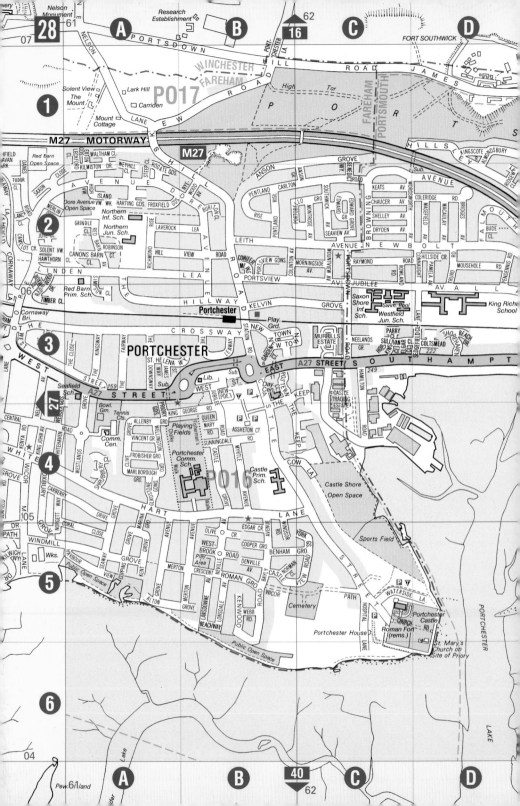

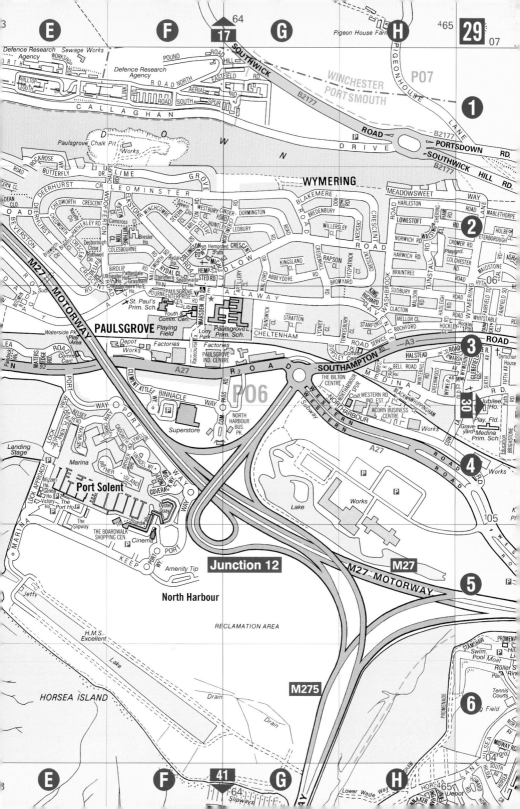

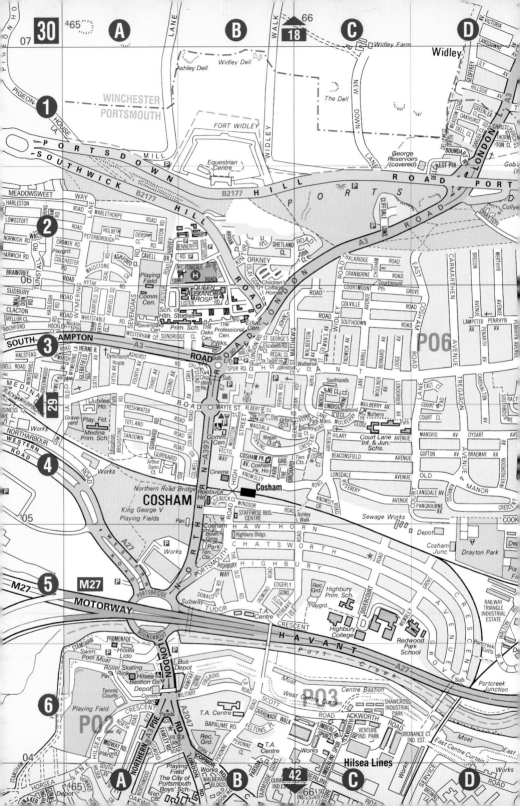

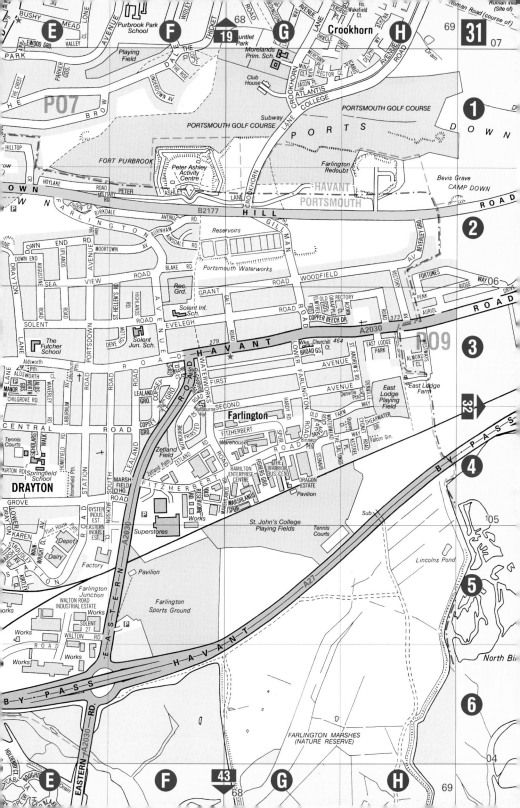

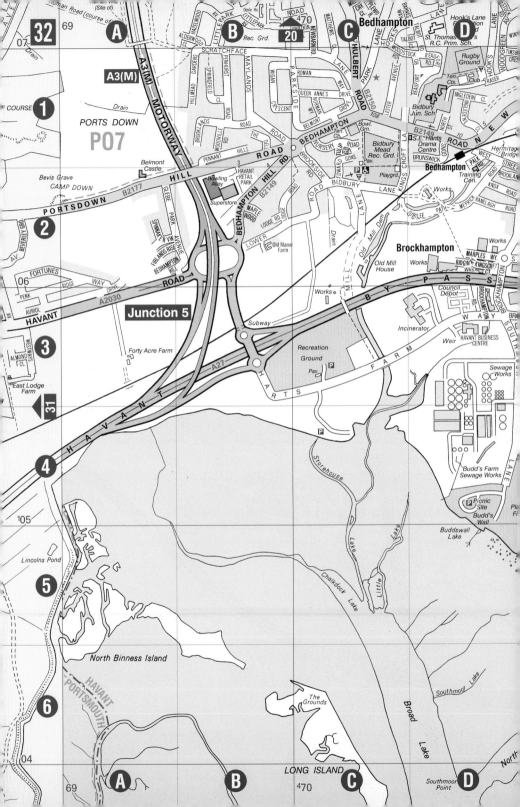

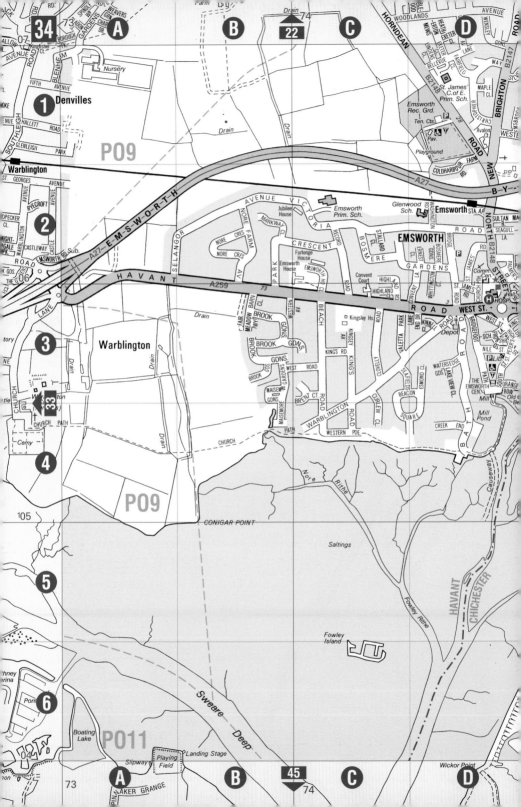

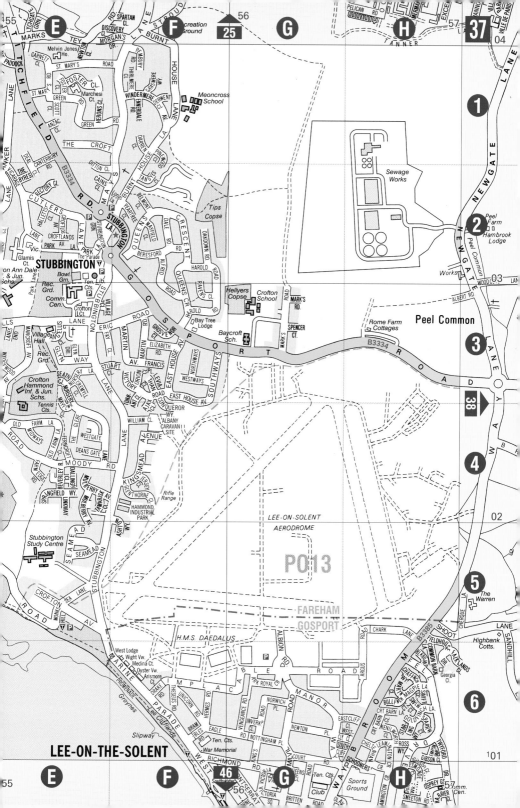

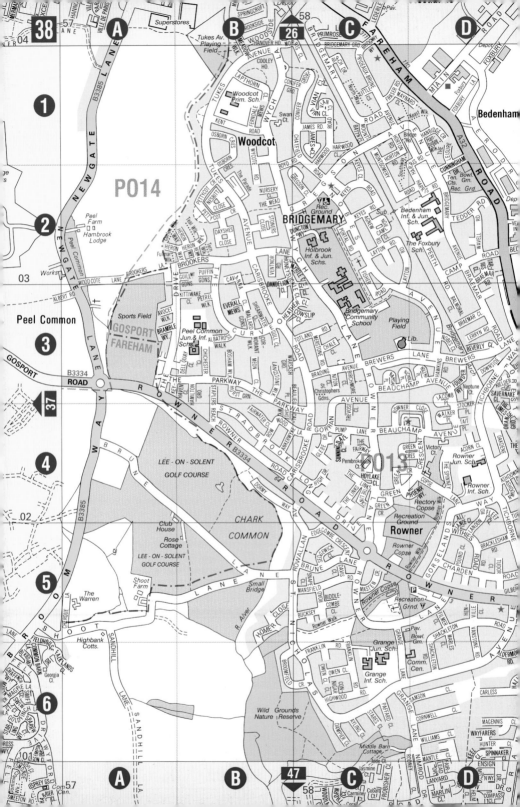

04

1

Pewit Island

Spider   Lake

28

P O R T S M O U T H

2

BOMBKETCH   LAKE

03

F A R E H A M

3

H A R B O U R

P O R T C H E S T E R   L A K E

39

4

L A K E

The Na

02

Work

CASTLE

PRIORY

ST. THOMAS'S

HORTON RD.

WOOD

War
Mem.

Pier

P

CHAPEL

MORRIS

THE SQ.

ST. MARY'S

LOWER ...

Pier

PORTSMOUTH
GOSPORT

ROAD

5

ROAD

ROAD

GODWIT

P

BUCKLERS
RD.

WHALE LW.

PIPIT CL.

Hardway

CHALLENGER DR.

MERGANSER CL.

LAPWING

WIDGEON CL.

GREEN

LAUREL
CL.

RD.

LEADER
DR.

RIVA DR.

SOVEREIGN   AV.

Crusader
Ct.

LUNCESTON
CL.

P O 1 2

GROVE

BITTER...

Cygnet ...

ROAD

6

GREEN

BRITANNIA

LICHFIELD DR.

GRATON CL.

CHATHAM

Camber
Basin

Groyne

Priddy's Hard

Groyne

Shell
Pier

Reservoir

Jetty

Portsmouth to:
Bilbao 30hrs.
Caen 6hrs.
Cherbourg 4hrs.45mins.
Le Havre 5hrs.45mins.
St. Malo 9hrs.

North Corner

North
Railway
Jetty

Middle
Slip
Jetty

ROAD

BOILER

SHIPBUILDING

DOCK

ROAD

D

VICTORIA

Recreation Ground

101

VINCENT
Agnew ...

61

A

Rolling
Bri.

B

Forton Lake

49

62

C

HOLBROOK CT.
BUCKLAND
BOUGHTON CT.
ALTHORPE DR.
HOLCOT LA.
TIFFIELD CL.
WESLEY
WILD
ADISON CT.
ALTHORPE DR.
PASSAGE CT.
EASTERN ROAD
A2030
Drain
PO6
Seamus Pond

PLY CLY CL.
PLECTON
BRAMPTON LA.
PLECTON
CRESCENT
Comm.
Cen.
Shut Lake

New Milton Fishery **1**

ROBINSON WAY
KEEL CL.
Superstore
Sluice Lake
Works
Kendalis Wharf
BILTON
BUSINESS
PARK
AIRSPEED
TROY
BILTON
WAY
Sports
Ground
Slipway
Tudor
Sailing Club
Pav.
BROOM CHANNEL

2

03

Mallard Lake
3

GREAT SALTERNS
GOLF COURSE
Lord
on
dary
Drain
Drain
N
nd

HARBOUR SIDE
CARAVAN &
CAMPING SITE
Great Salterns
Mansion
ROAD

L A N G S T O N E

H A R B O U R

MALLARD SANDS

CHESSEL Lake
4

02

Club
House
Driving
Range
Great Salterns
Lake
ROAD
Great Salterns Quay
Salterns Lake

PORTSMOUTH
HAVANT

Sword Sands
5

GREAT SALTERNS
GOLF COURSE

The Lodge
SWORD SANDS PATH
Portsmouth
College
SWORD
SANDS RD.
ROAD
A2030
385

Sword Point
Langstone Channel
6

01

GROVE
AVENUE

Frog Lake

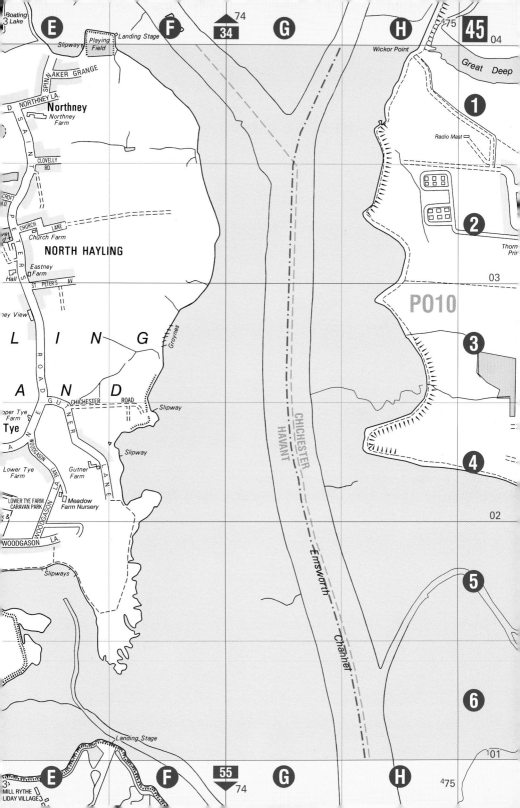

Boating 3 Lake

Slipway

Landing Stage

Playing Field

SPIN AKER GRANGE

NORTHNEY LA.

Northney

Northney Farm

CLOVELLY RD.

CROFT

D

S A I N T

CHURCH LANE

Church Farm

NORTH HAYLING

Eastney Farm

Hall

ST. PETER'S AV.

ney View

P E T E R S

L I N G

N

Groynes

A N D

G U N N E R

CHICHESTER ROAD

Slipway

per Tye Farm

Tye

L A N E

Slipway

WOODGASON LANE

Lower Tye Farm

Gutner Farm

LOWER TYE FARM CARAVAN PARK

Meadow Farm Nursery

WOODGASON LANE

WOODGASON LA.

&

Slipways

Landing Stage

Wickor Point

Great Deep

Radio Mast

Thorn Prir

03

PO10

CHICHESTER HAVANT

Emsworth Channel

02

101

475

3 MILL RYTHE LIDAY VILLAGE

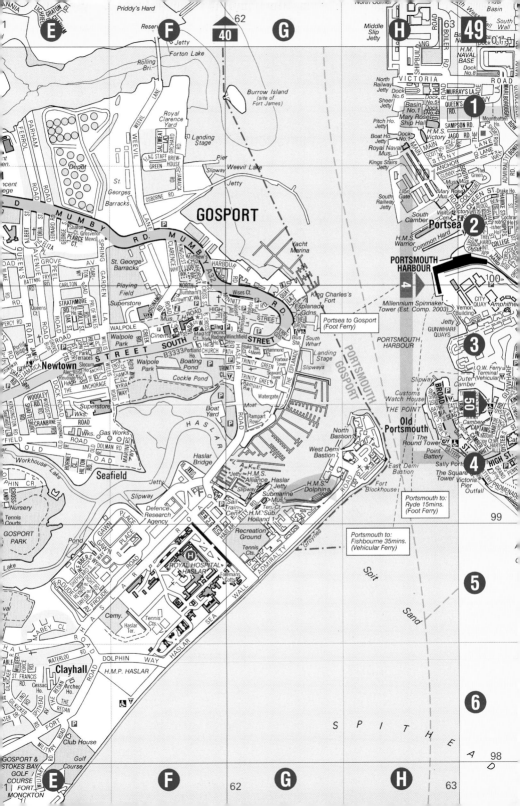

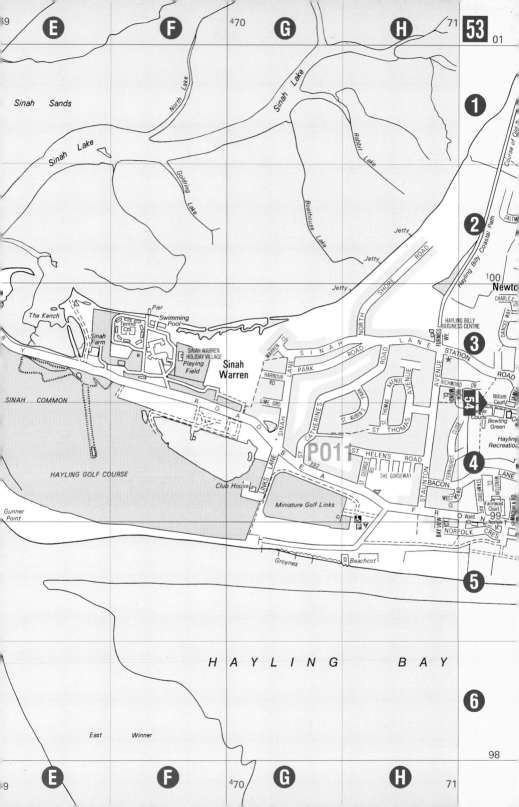

Sinah Sands

North Lake

Sinah Lake

Sinah Lake

Goldring Lake

Rabbit Lake

Boathouse Lake

Course of Old

SALTM

1

Hayling Billy Coastal Path

2

Jetty

Jetty

Jetty

Jetty

100

Newto

SHORE ROAD

FURNISS WY.

HAYLING BILLY BUSINESS CENTRE

CHARLES C

DANCE WAY

The Kench

Pier

Swimming Pool

Sinah Farm

Tennis Cts.

SINAH WARREN HOLIDAY VILLAGE

Playing Field

Sinah Warren

WARREN CT.

SINAH LANE

PARK ROAD

NORTH ROAD

ROAD

LANE

STATION

3

RICHMOND DR.

RICH

ROAD

54

Millam Court

Polis Courts

MINOR CLOSE

SINAH COMMON

Y

R

HARBOUR RD.

LIME GRO

ST. AUBIN'S

ST. THOMAS AVENUE

ST. THOMAS AVENUE

CLOSE

Bowling Green

Hayling Recreatio

ROAD

SINAH LANE

ST. CATHERINES

E 392

A

P011

ST. HELENS ROAD

ST. GEORGES RD.

THE GORSEWAY

BACON

STAUNTON RD.

FERNHURST

LANE

4

HAYLING GOLF COURSE

Club House

LINKS LANE

WEST CL.

Ward

STAMFORD CL.

MAGDALA RD.

Fairmead Court

99

Gunner Point

Miniature Golf Links

BAY VIEW RD.

NORFOLK

Norfolk

CRES.

CONSTANT CL.

Groynes

Beachcot

5

HAYLING   *BAY*

6

98

East   Winner

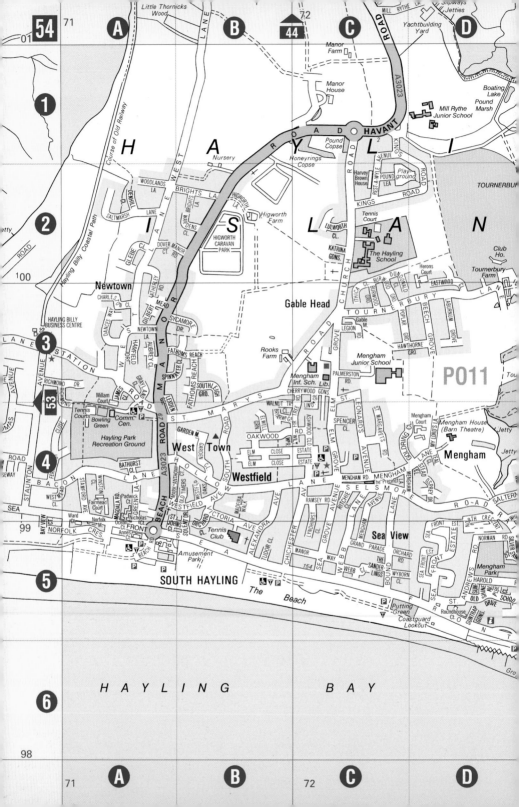

INDEX

Including Streets, Industrial Estates and Selected Subsidiary Addresses

HOW TO USE THIS INDEX

1. Each street name is followed by its Posttown or Postal Locality and then by its map reference; e.g. Abbeydore Rd. *Ports* —2G **29** is in the Portsmouth Postal Locality and is to be found in square 2G on page **29**. The page number being shown in bold type.
   A strict alphabetical order is followed in which Av., Rd., St., etc. (though abbreviated) are read in full and as part of the street name; e.g. Abbotstone Av. appears after Abbots Clo. but before Abbots Way.

2. Streets and a selection of Subsidiary names not shown on the Maps, appear in the index in *Italics* with the thoroughfare to which it is connected shown in brackets; e.g. *Addenbroke. Gos —3E **49** (off Willis Rd.)*

3. Map references shown in brackets; e.g. A'Becket Ct. *Ports* —3A **50** (5C **4**) refer to entries that also appear on the large scale pages 4 & 5.

GENERAL ABBREVIATIONS

All : Alley	Ct : Court	Lit : Little	Rd : Road
App : Approach	Cres : Crescent	Lwr : Lower	Shop : Shopping
Arc : Arcade	Cft : Croft	Mc : Mac	S : South
Av : Avenue	Dri : Drive	Mnr : Manor	Sq : Square
Bk : Back	E : East	Mans : Mansions	Sta : Station
Boulevd : Boulevard	Embkmt : Embankment	Mkt : Market	St : Street
Bri : Bridge	Est : Estate	Mdw : Meadow	Ter : Terrace
B'way : Broadway	Fld : Field	M : Mews	Trad : Trading
Bldgs : Buildings	Gdns : Gardens	Mt : Mount	Up : Upper
Bus : Business	Gth : Garth	Mus : Museum	Va : Vale
Cvn : Caravan	Ga : Gate	N : North	Vw : View
Cen : Centre	Gt : Great	Pal : Palace	Vs : Villas
Chu : Church	Grn : Green	Pde : Parade	Vis : Visitors
Chyd : Churchyard	Gro : Grove	Pk : Park	Wlk : Walk
Circ : Circle	Ho : House	Pas : Passage	W : West
Cir : Circus	Ind : Industrial	Pl : Place	Yd : Yard
Clo : Close	Info : Information	Quad : Quadrant	
Comn : Common	Junct : Junction	Res : Residential	
Cotts : Cottages	La : Lane	Ri : Rise	

POSTTOWN AND POSTAL LOCALITY ABBREVIATIONS

Bed : Bedhampton	*H'way* : Hardway	*Navy* : H M Naval Base	*Stub* : Stubbington
Cath : Catherington	*Hav* : Havant	*N Boar* : North Boarhunt	*Thor I* : Thorney Island
Clan : Clanfield	*Hay I* : Hayling Island	*Portc* : Portchester	*Titch* : Titchfield
Cosh : Cosham	*Hils* : Hilsea	*Ports* : Portsmouth	*Wars* : Warsash
Cowp : Cowplain	*Horn* : Hordean	*Port S* : Port Solent	*Water* : Waterlooville
Den : Denmead	*Ids* : Idsworth	*Prin* : Prinsted	*Westb* : Westbourne
Dray : Drayton	*Know* : Knowle	*Pur* : Purbrook	*White* : Whiteley
Ems : Emsworth	*Lang* : Langstone	*Row C* : Rowland's Castle	*Wick* : Wickham
Fare : Fareham	*Lee S* : Lee-on-the-Solent	*S'brne* : Southbourne	*Wid* : Widley
Farl : Farlington	*L Hth* : Locks Heath	*S'sea* : Southsea	*Wdcte* : Woodmancote
Gos : Gosport	*Love* : Lovedean	*S'wick* : Southwick	

INDEX

Abbas Grn. *Hav* —2D **20**
Abbeydore Rd. *Ports* —2G **29**
Abbeyfield Dri. *Fare* —1E **25**
Abbey Rd. *Fare* —1F **25**
Abbots Clo. *Water* —5E **19**
Abbotstone Av. *Hav* —5G **21**
Abbots Way. *Fare* —2F **25**
A'Becket Ct. *Ports*
　　　　　　—3A **50** (5C **4**)
Aberdare Av. *Ports* —2D **30**
Aberdeen Clo. *Fare* —6G **13**
Abingdon Clo. *Gos* —3D **48**
Acacia Gdns. *Water* —2B **10**
Acer Way. *Hav* —5H **21**
Ackworth Rd. *Ports* —6C **30**
Acorn Bus. Cen. *Ports* —4H **29**
Acorn Clo. *Gos* —4D **38**
Acorn Clo. *Ports* —3H **31**
Acorn Gdns. *Water* —1B **10**
Acre La. *Water* —6C **10**
Adair Rd. *S'sea* —5G **51**
Adames Rd. *Ports* —1E **51**

*Addenbroke. Gos —3E **49***
(off Willis Rd.)
Adderbury Av. *Ems* —6D **22**
Addison Rd. *S'sea* —4E **51**
Adelaide Pl. *Fare* —2C **26**
Adhurst Rd. *Hav* —5G **21**
Admiral Pk. Ind. Est., The.
　　　　　　Ports —2C **42**
Admiral's Corner. *S'sea*
　　　　　　—5D **50**
Admirals Ct. *S'sea* —5C **50**
Admirals Wlk. *Gos* —4B **48**
Admiral's Wlk. *Ports*
　　　　　　—1H **49** (1A **4**)
Admiralty Rd. *Gos* —5G **49**
Admiralty Rd. *Ports*
　　　　　　—2A **50** (2B **4**)
Adsdean Clo. *Hav* —5E **21**
Adstone La. *Ports* —1E **43**
Adur Clo. *Gos* —6F **39**
Aerial Rd. *S'wick* —1F **29**
Aerodrome Rd. *Gos* —1D **38**

Agincourt Rd. *Ports* —6H **41**
Agnew Ho. *Gos* —1D **48**
Agnew Rd. *Gos* —2C **38**
Ainsdale Rd. *Ports* —2F **31**
Aintree Rd. *Water* —6B **10**
Airport Ind. Est. *Ports* —2D **42**
Airport Service Rd. *Ports*
　　　　　　—1C **42**
Airspeed Rd. *Ports* —3E **43**
Ajax Clo. *Fare* —4F **37**
Alameda Rd. *Water* —5F **19**
Alameda Way. *Water* —5F **19**
Alan Gro. *Fare* —1G **25**
Albany Cvn. Site. *Fare* —4F **37**
Albany Ct. *Gos* —3D **48**
Albany Rd. *S'sea* —4D **50**
Albatross Rd. *Gos* —3B **38**
Albemarle Av. *Gos* —6H **39**
Albert Gro. *S'sea* —4D **50**
Albert Rd. *Cosh* —4B **30**
Albert Rd. *Fare* —3H **37**
Albert Rd. *S'sea* —4D **50**

Albert Rd. *Water* —2G **19**
Albert St. *Gos* —2E **49**
Albion Clo. *Fare* —5H **27**
Albion Rd. *Lee S* —5G **37**
Albretia Av. *Water* —4F **9**
Alchorne Pl. *Ports* —2D **42**
Alder La. *Gos* —2H **47**
Aldermoor Rd. *Gos* —6D **38**
Aldermoor Rd. *Water* —5F **19**
Aldermoor Rd. E. *Water*
　　　　　　—4F **19**
Aldershot Ho. *Hav* —4H **21**
Alders Rd. *Fare* —4B **26**
Alderwood Clo. *Hav* —6B **20**
Aldrich Rd. *Navy* —1A **50**
Aldridge Clo. *Water* —2G **7**
Aldroke St. *Ports* —4B **30**
Aldsworth Clo. *Ports* —3E **31**
Aldsworth Gdns. *Ports* —3E **31**
Aldsworth Path. *Ports* —3E **31**
Aldwell St. *S'sea*
　　　　　　—3D **50** (4H **5**)

Battery Promenade. *Ports*
—4H **49** (6A **4**)
Battery Row. *Ports*
—4A **50** (6B **4**)
Baybridge Rd. *Hav* —4H **21**
Bayfields. *S'sea* —5C **50**
(off Shaftesbury Rd.)
Bayly Av. *Fare* —5B **28**
Bay Rd. *Gos* —4B **48**
Bayswater Ho. *S'sea* —4D **50**
Baythorn Clo. *Ports* —6H **41**
Bay Tree Lodge. *Fare* —3F **37**
Bayview Ct. *Hay I* —5H **53**
Beach Dri. *Ports* —3D **28**
Beach Rd. *Ems* —3C **34**
Beach Rd. *Hay I* —5A **54**
(in two parts)
Beach Rd. *Lee S* —2C **46**
Beach Rd. *S'sea* —6D **50**
Beachway. *Fare* —5B **28**
Beaconsfield Av. *Ports* —4C **30**
Beaconsfield Rd. *Fare* —3B **26**
Beaconsfield Rd. *Water*
—1G **19**
Beacon Sq. *Ems* —3C **34**
Beamond Ct. *Ports* —4C **30**
Beatrice Rd. *S'sea* —5E **51**
Beatty Dri. *Gos* —5B **48**
Beatty Ho. *Ports* —1H **5**
Beauchamp Av. *Gos* —3C **38**
Beaufort Av. *Fare* —6H **13**
Beaufort Rd. *Hav* —1D **32**
Beaufort Rd. *S'sea* —6D **50**
Beaulieu Av. *Fare* —3G **27**
Beaulieu Av. *Hav* —3D **20**
Beaulieu Pl. *Gos* —3C **38**
Beaulieu Rd. *Ports* —4A **42**
Beaumont Clo. *Fare* —6F **13**
Beaumont Ct. *Gos* —5G **39**
Beaumont Ri. *Fare* —5F **13**
Beck St. *Ports* —2B **50** (2D **4**)
Bedenham La. *Gos* —2D **38**
(in three parts)
Bedford Clo. *Hav* —3H **33**
Bedford St. *Gos* —1C **48**
Bedford St. *S'sea*
—3C **50** (4F **5**)
Bedhampton Hill. *Hav* —2A **32**
(in two parts)
Bedhampton Hill Rd. *Hav*
—2B **32**
Bedhampton Ho. *Ports* —1H **5**
Bedhampton Rd. *Hav* —1C **32**
Bedhampton Rd. *Ports* —5B **42**
Bedhampton Way. *Hav* —5F **21**
Beecham Rd. *Ports* —6A **42**
Beech Clo. *Water* —5H **9**
Beechcroft Clo. *Fare* —2D **24**
Beechcroft Rd. *Gos* —4C **48**
Beech Gro. *Gos* —4C **48**
Beech Gro. *Hay I* —3D **54**
Beech Rd. *Fare* —1G **25**
Beech Rd. *Water* —2G **7**
Beech Way. *Water* —2B **10**
Beechwood Av. *Water* —3G **19**
Beechwood Lodge. *Fare*
—1B **26**
Beechwood Rd. *Ports* —1A **42**
Beechworth Rd. *Hav* —2F **33**
Beehive Wlk. *Ports*
—3A **50** (5C **4**)
Beeston Ct. *Ports* —6A **42**
Behrendt Clo. *Gos* —1C **48**
Belgravia Rd. *Ports* —4B **42**
Bellair Ho. *Hav* —2G **33**
Bellair Rd. *Hav* —2G **33**
Bell Cres. *Water* —3G **19**
Bell Davies Rd. *Fare* —4D **36**
Bellevue La. *Ems* —1D **34**

Bellevue Ter. *S'sea* —4B **50**
Bellfield. *Fare* —4B **24**
Bellflower Way. *Fare* —6B **12**
Bell Rd. *Ports* —3H **29**
Bells La. *Fare* —3E **37**
Belmont Clo. *Fare* —2F **37**
Belmont Clo. *Water* —2C **6**
Belmont Gro. *Hav* —1C **32**
Belmont Pl. *S'sea*
—4C **50** (6G **5**)
Belmont St. *S'sea*
—4C **50** (6G **5**)
Belmore Clo. *Ports* —6A **42**
Belney La. *S'wick* —2H **17**
Belvoir Clo. *Fare* —2A **26**
Bembridge Ct. *Hay I* —6E **55**
Bembridge Cres. *S'sea* —6E **51**
Bembridge Dri. *Hay I* —6E **55**
Bembridge Lodge. *Lee S*
—2C **46**
Bemister's La. *Gos* —3G **49**
Benbow Clo. *Water* —6C **6**
Benbow Ho. *Ports* —2B **4**
Benbow Pl. *Ports*
—2A **50** (2B **4**)
Benedict Way. *Fare* —2C **28**
Beneficial St. *Ports*
—2A **50** (2B **4**)
Benham Dri. *Ports* —1B **42**
Benham Gro. *Fare* —5B **28**
Bentham Rd. *Gos* —4D **48**
Bentley Clo. *Water* —5C **6**
Bentley St. *Hav* —4H **21**
Bentley Cres. *Fare* —1H **25**
Bentworth Clo. *Hav* —5D **20**
Bere Farm La. *N Boar* —2F **15**
Bere Rd. *Water* —3B **8**
Beresford Clo. *Water* —3G **19**
Beresford Rd. *Fare* —2F **37**
Beresford Rd. *Ports* —4A **42**
Berkeley Clo. *Fare* —3D **36**
Berkeley Ct. *Lee S* —2D **46**
Berkeley Sq. *Hav* —2H **33**
Berkshire Clo. *Ports* —2D **50**
Bernard Av. *Ports* —3C **30**
Bernard Powell Ho. *Hav*
—2G **33**
Berney Rd. *S'sea* —3A **52**
Bernina Av. *Water* —5E **9**
Bernina Clo. *Water* —5E **9**
Berrydown Rd. *Hav* —2C **20**
Berry La. *Fare* —3C **36**
Berry Mdw. Cotts. *S'wick*
—3C **16**
Bertie Rd. *S'sea* —3H **51**
Berwyn Wlk. *Fare* —3G **25**
Beryl Av. *Gos* —5F **39**
Beryton Clo. *Gos* —1C **48**
Beryton Rd. *Gos* —1C **48**
Bettesworth Rd. *Ports* —6A **42**
Betula Clo. *Water* —3A **20**
Bevan Rd. *Water* —2H **9**
Beverley Gro. *Ports* —2H **31**
Beverley Rd. *Fare* —4E **37**
Beverly Clo. *Gos* —3D **38**
Beverston Rd. *Ports* —2E **29**
Bevis Rd. *Gos* —2D **48**
Bevis Rd. *Ports* —4H **41**
Bevis Rd. N. *Ports* —4H **41**
Bickton Wlk. *Hav* —3D **20**
Bidbury La. *Hav* —2C **32**
Biddlecombe Clo. *Gos* —5C **38**
Biggin Wlk. *Ports* —2H **31**
Billett Av. *Water* —6H **9**
Billing Clo. *S'sea* —4H **51**
Bill Stillwell Ct. *Ports* —3G **41**
Billy Lawn Av. *Hav* —4F **21**
Bilton Bus. Pk. *Ports* —2E **43**
Bilton Cen., The. *Ports* —3G **29**

Bilton Way. *Ports* —3E **43**
Binnacle Way. *Ports* —3F **29**
Binness Path. *Ports* —4G **31**
Binness Way. *Ports* —4G **31**
Binsteed Rd. *Ports* —5A **42**
Birch Clo. *Water* —4G **9**
Birch Dri. *Gos* —1C **38**
Birchmore Clo. *Gos* —3C **38**
Birch Tree Clo. *Ems* —5D **22**
Birch Tree Dri. *Ems* —5D **22**
Birchwood Lodge. *Fare*
(off Northwood Sq.) —1B **26**
Birdham Rd. *Hay I* —5G **55**
Birdlip Clo. *Water* —1A **10**
Birdlip Rd. *Ports* —2F **29**
Birdwood Gro. *Fare* —3F **27**
Birkdale Av. *Ports* —2E **31**
Birmingham Ct. *Gos* —4H **47**
Biscay Clo. *Fare* —2D **36**
Bishopsfield Rd. *Fare* —4G **25**
Bishopstoke Rd. *Hav* —4E **21**
Bishop St. *Ports*
—2A **50** (2C **4**)
Bittern Clo. *Gos* —6H **39**
Bitterne Clo. *Hav* —3F **21**
Blackberry Clo. *Water* —1D **6**
Blackbird Clo. *Water* —3H **9**
Blackbird Way. *Lee S* —6H **37**
Blackbrook Bus. Pk. *Fare*
—2G **25**
Blackbrook Ho. Dri. *Fare*
—2G **25**
Blackbrook Pk. Av. *Fare*
—2G **25**
Blackbrook Rd. *Fare* —1E **25**
Blackburn Ct. *Gos* —2H **47**
Blackcap Clo. *Row C* —6G **11**
Blackdown Cres. *Hav* —5E **21**
Blackfriars Clo. *S'sea*
—3D **50** (4H **5**)
Blackfriars Rd. *S'sea*
—2D **50** (3H **5**)
Blackhouse La. *N Boar* —1G **15**
Blackmoor Wlk. *Hav* —4H **21**
Blackthorn Dri. *Gos* —4G **39**
Blackthorn Dri. *Hay I* —4E **55**
Blackthorn Rd. *Hay I* —4E **55**
Blackthorn Rd. *Water* —3C **6**
Blackthorn Ter. *Ports*
—1B **50** (1C **4**)
Blackthorn Wlk. *Water* —6B **10**
(off Barn Fold)
Blackwater Clo. *Ports* —3H **29**
Blackwood Ho. *Ports* —6H **41**
Bladon Clo. *Gos* —6A **22**
Blair Atholl Ri. *Fare* —1H **25**
Blake Clo. *Gos* —3G **49**
Blakemere Cres. *Ports* —2G **29**
Blake Rd. *Gos* —2E **49**
Blake Rd. *Ports* —2F **31**
Blakesley La. *Ports* —1E **43**
Blankney Clo. *Fare* —3D **36**
Blaven Wlk. *Fare* —3G **25**
Blendworth Cres. *Hav* —6E **21**
Blendworth Ho. *Ports* —1H **5**
Blendworth La. *Horn* —6D **6**
Blendworth Rd. *S'sea* —2H **51**
Blenheim Ct. *S'sea* —4G **51**
Blenheim Gdns. *Gos* —5H **39**
Blenheim Gdns. *Hav* —1H **33**
Blenheim Rd. *Water* —2A **10**
Bleriot Cres. *White* —4A **12**
Bliss Clo. *Water* —4G **19**
Blissford Clo. *Hav* —4H **21**
Blossom Sq. *Ports*
—1A **50** (1C **4**)
Blount Rd. *Ports*
—4B **50** (6D **4**)
Bluebell Clo. *Water* —3H **19**

Blueprint Portfield Rd. *Ports*
—3C **42**
Boardwalk Shop. Cen., The.
Port S —5E **29**
Boardwalk, The. *Port S* —4F **29**
Boarhunt Clo. *Ports*
—2D **50** (2H **5**)
Boarhunt Rd. *Fare* —6E **15**
Boatyard Ind. Est., The. *Fare*
—3B **26**
Bodmin Rd. *Ports* —3E **29**
Boiler Rd. *Ports* —6D **40**
Bolde Clo. *Ports* —2D **42**
Boldens Rd. *Gos* —6D **48**
Boldre Clo. *Hav* —5C **20**
Boltons, The. *Water* —6G **19**
Bonchurch Rd. *S'sea* —2G **51**
Bondfields Cres. *Hav* —3E **21**
Bonfire Corner. *Ports*
—1A **50** (1B **4**)
Bordon Rd. *Hav* —4F **21**
Bosham Rd. *Ports* —5B **42**
Bosham Wlk. *Gos* —3B **38**
Bosmere Gdns. *Ems* —2C **34**
Bosmere Rd. *Hay I* —5G **55**
Boston Rd. *Ports* —2A **30**
Bosuns Clo. *Fare* —5B **26**
Botley Dri. *Hav* —3D **20**
Boughton Ct. *Ports* —1E **43**
Boulter La. *S'wick* —2E **17**
Boulton Rd. *S'sea* —4E **51**
Boundary Way. *Hav* —2E **33**
Boundary Way. *Ports* —1D **30**
Bound La. *Hay I* —5C **54**
Bourne Clo. *Water* —1B **10**
Bournemouth Av. *Gos* —6G **39**
Bournemouth Ho. *Hav* —4G **21**
Bourne Rd. *Ports* —3F **29**
Bourne Vw. Clo. *Ems* —1H **35**
Bowers Clo. *Water* —3A **10**
Bowes Hill. *Row C* —4H **11**
Bowes Lyon Ct. *Water* —6B **6**
Bowler Av. *Ports* —1F **51**
Bowler Ct. *Ports* —1F **51**
Boxgrove Ho. *Ports* —1D **50**
Boxwood Clo. *Fare* —2H **27**
Boxwood Clo. *Water* —3G **19**
Boyd Clo. *Fare* —4D **36**
Boyd Rd. *Gos* —2B **38**
Boyle Cres. *Water* —4F **19**
Brabazon Rd. *Fare* —4A **12**
Bracken Heath. *Water* —6B **10**
Bracklesham Rd. *Gos* —5D **38**
Bracklesham Rd. *Hay I*
—6H **55**
Bradford Ct. *Gos* —1G **47**
Bradford Junct. *S'sea* —3E **51**
Bradford Rd. *S'sea* —3D **50**
Brading Av. *Gos* —3C **38**
Brading Av. *S'sea* —5G **51**
Bradley Ct. *Hav* —3H **21**
Bradly Rd. *Fare* —1E **25**
Braemar Av. *Ports* —4D **30**
Braemar Clo. *Fare* —6G **13**
Braemar Clo. *Gos* —3D **38**
Braemar Rd. *Gos* —2D **38**
Braintree Rd. *Ports* —2H **29**
Braishfield Rd. *Hav* —5G **21**
Bramber Rd. *Gos* —6G **39**
Bramble Clo. *Fare* —4C **36**
Bramble Clo. *Hav* —6A **22**
Bramble La. *Water* —1F **7**
Bramble Rd. *S'sea* —3E **51**
Brambles Bus. Cen., The.
Water —6E **9**
Brambles Enterprise Cen., The.
Water —6E **9**
Brambles Farm Ind. Est. *Water*
—1F **19**

Brambles Rd. *Lee S* —6F **37**
Bramble Way. *Gos* —3A **38**
Brambling Rd. *Row C* —6H **11**
Bramdean Rd. *Hav* —4D **20**
Bramham Moor. *Fare* —3D **36**
Bramley Clo. *Water* —1H **19**
Bramley Gdns. *Ems* —3F **35**
Bramley Gdns. *Gos* —6C **48**
Bramley Ho. *S'sea*
—3C **50** (5G **5**)
Brampton La. *Ports* —1E **43**
Bramshaw Ct. *Hav* —4H **21**
Bramshott Rd. *S'sea* —3F **51**
Brandon Ct. *S'sea* —4E **51**
Brandon Ho. *S'sea* —5E **51**
Brandon Rd. *S'sea* —5D **50**
Bransbury Rd. *S'sea* —4H **51**
Bransgore Av. *Fare* —3G **25**
Brasted Ct. *S'sea* —2A **52**
Braunstone Clo. *Ports* —2E **29**
Braxell Lawn. *Hav* —3D **20**
Breach Av. *Ems* —1H **35**
Brecon Av. *Ports* —2D **30**
Brecon Clo. *Fare* —3G **25**
Bredenbury Cres. *Ports*
—2G **29**
Bredon Wlk. *Fare* —3G **25**
Breech Clo. *Ports* —1B **42**
Brenchley Clo. *Fare* —4H **27**
Brendon Rd. *Fare* —3F **25**
Brent Ct. *Ems* —3C **34**
Bresler Ho. *ports* —2F **29**
Brewers La. *Gos* —3C **38**
Brewer St. *Ports*
—1C **50** (1G **5**)
Brewhouse Sq. *Fare* —1F **49**
Brewster Clo. *Water* —4A **10**
Briar Clo. *Gos* —4A **48**
Briar Clo. *Water* —2B **10**
Briarfield Gdns. *Water* —1B **10**
Briars, The. *Water* —1E **19**
Briarwood Clo. *Fare* —3B **26**
Briarwood Gdns. *Hay I*
—4B **54**
Bridefield Clo. *Water* —4F **9**
Bridefield Cres. *Water* —4F **9**
Bridgefoot Dri. *Fare* —2C **26**
Bridgefoot Hill. *Fare* —2D **26**
Bridgefoot Path. *Ems* —3D **34**
Bridge Ho. *Gos* —1C **38**
Bridge Industries. *Fare* —6C **14**
Bridgemary Av. *Gos* —2D **38**
Bridgemary Gro. *Gos* —6C **26**
Bridgemary Rd. *Gos* —6C **26**
Bridgemary Way. *Gos* —6C **26**
Bridge Rd. *Ems* —2D **34**
Bridges Av. *Ports* —2D **28**
Bridge Shop. Cen., The. *Ports*
—2E **51**
Bridgeside Clo. *Ports* —2D **50**
Bridge St. *S'wick* —3B **16**
Bridge St. *Titch* —3C **24**
Bridge St. *Wick* —1A **14**
Bridget Clo. *Water* —6C **6**
Bridle Path. *Water* —5B **6**
Bridport St. *Ports*
—2C **50** (2G **5**)
Brigham Clo. *Ports* —2A **42**
Brighstone Rd. *Ports* —4A **30**
Brighton Av. *Gos* —5F **39**
Brightside. *Water* —3F **19**
Brights La. *Hay I* —2B **54**
Brisbane Ho. *Ports* —6H **41**
Bristol Ct. *Gos* —2G **47**
Bristol Rd. *S'sea* —5F **51**
Britain St. *Ports*
—2A **50** (3C **4**)
Britannia Rd. *S'sea* —3D **50**
Britannia Rd. N. *S'sea* —3D **50**

Britannia Way. *Gos* —6A **40**
Britten Rd. *Lee S* —1C **46**
Britten Way. *Water* —5G **19**
Brixworth Clo. *Ports* —2E **29**
Broadcut. *Fare* —1C **26**
Broad Gdns. *Ports* —3G **31**
Broadlands Av. *Water* —3G **19**
Broadlaw Wlk. Shop. Precinct.
Fare —4G **25**
Broadmeadows La. *Water*
—2A **20**
Broadmere Av. *Hav* —4F **21**
Broad Oak Works. *Ports*
—1D **42**
Broadsands Dri. *Gos* —4H **47**
Broadsands Wlk. *Gos* —4A **48**
Broad St. *Ports*
—3H **49** (5A **4**)
Broad Wlk. *Ids* —2E **11**
Broadway La. *Love* —1F **9**
Brockenhurst Av. *Hav* —3D **20**
Brockhampton La. *Hav* —2E **33**
Brockhampton Rd. *Hav*
(in two parts) —3D **32**
Brockhurst Ind. Est. *Gos*
—4F **39**
Brockhurst Rd. *Gos* —5F **39**
Brocklands. *Hav* —2D **32**
Brodrick Av. *Gos* —4C **48**
Brompton Pas. *Ports* —6H **41**
Brompton Rd. *S'sea* —5F **51**
Bromyard Cres. *Ports* —2G **29**
Brookdale Clo. *Water* —1H **19**
Brookers La. *Gos* —2A **38**
(in two parts)
Brook Farm Av. *Fare* —2H **25**
Brookfield Clo. *Hav* —1E **33**
Brookfield Rd. *Ports* —1E **51**
Brooklands Rd. *Hav* —1B **32**
Brooklyn Dri. *Water* —1H **19**
Brookmeadow. *Fare* —2H **25**
Brookmead Way. *Hav* —3F **33**
Brookside. *Gos* —6B **26**
Brookside. *Water* —3B **8**
Brookside Rd. *Hav* —3D **32**
(Harts Farm Way)
Brookside Rd. *Hav* —1C **32**
(Mayland Rd.)
Broom Clo. *S'sea* —2B **52**
Broom Clo. *Water* —4A **20**
Broomfield Cres. *Gos* —6B **38**
Broom Sq. *S'sea* —2B **52**
Broom Way. *Lee S* —6H **37**
Brougham La. *Gos* —1C **48**
Brougham Rd. *S'sea*
—3C **50** (5F **5**)
Brougham St. *Gos* —1C **48**
Browndown Rd. *Lee S* —4G **47**
Browning Av. *Ports* —2C **28**
Brownlow Clo. *Ports* —6H **41**
Browns La. *Ports* —1D **42**
Brow Path. *Water* —1E **31**
Brow, The. *Gos* —3G **49**
Brow, The. *Water* —1D **30**
Broxhead Rd. *Hav* —3G **21**
Bruce Clo. *Fare* —6A **14**
Bruce Rd. *S'sea* —5F **51**
Brune La. *Lee S & Gos* —4A **38**
(in two parts)
Brunel Rd. *Ports* —2A **42**
Brunel Way. *Fare* —4A **12**
Brunswick Gdns. *Hav* —1D **32**
Brunswick St. *S'sea*
—3C **50** (5F **5**)
Bryher Bri. *Port S* —4F **29**
Bryher Island. *Port S* —4E **29**
Bryony Way. *Water* —2A **20**
Bryson Rd. *Ports* —3H **29**

Buckby La. *Ports* —1E **43**
Buckingham Building. *Ports*
—2B **50** (2D **4**)
Buckingham Ct. *Fare* —6F **13**
Buckingham Grn. *Ports*
—6A **42**
Buckingham St. *Ports*
—1C **50** (1G **5**)
Buckland Clo. *Water* —4F **9**
Buckland Path. *Ports* —6H **41**
Buckland St. *Ports* —6A **42**
(in two parts)
Bucklers Ct. *Hav* —2D **20**
Bucklers Ct. *Ports* —4H **41**
Bucklers Rd. *Gos* —5A **40**
Bucksey Rd. *Gos* —5C **38**
Buddens Rd. *Wick* —1A **14**
Bude Clo. *Ports* —2D **28**
Bulbarrow Wlk. *Fare* —3G **25**
Bulbeck Rd. *Hav* —2F **33**
Bullfinch Ct. *Lee S* —6H **37**
Bulls Copse La. *Water* —1A **10**
Bunkers Hill. *Water* —4A **8**
Bunting Gdns. *Water* —3H **9**
Burbidge Gro. *S'sea* —5G **51**
Burcote Dri. *Ports* —1D **42**
Burdale Dri. *Hay I* —4F **55**
Burgate Clo. *Hav* —6D **20**
Burgess Clo. *Hay I* —6F **55**
Burghclere Rd. *Hav* —3H **21**
Burgoyne Rd. *S'sea* —6D **50**
Burgundy Ter. *Ports* —2A **42**
Buriton Clo. *Fare* —2B **28**
Buriton Ho. *Ports*
—2D **50** (2H **5**)
(off Buriton St.)
Buriton St. *Ports*
—1D **50** (1H **5**)
Burleigh Rd. *Ports* —6B **42**
Burley Clo. *Hav* —3H **21**
Burlington Rd. *Ports* —4A **42**
Burnaby Building. *Ports*
—2B **50** (3D **4**)
Burnaby Rd. *Ports*
—2B **50** (3D **4**)
Burnett Rd. *Gos* —1B **48**
Burney Ho. *Gos* —3F **49**
(off South St.)
Burney Rd. *Gos* —4A **48**
Burnham Rd. *Ports* —2F **31**
Burnham's Wlk. *Gos* —3F **49**
Burnham Wood. *Fare* —6A **14**
Burnside. *Gos* —6B **26**
Burnside. *Water* —6A **10**
Burnt Ho. La. *Fare* —6F **25**
Burrell Ho. *S'sea* —4B **50**
(off Hambrook St.)
Burrfields Retail Pk. *Ports*
—4D **42**
Burrfields Rd. *Ports* —4C **42**
Burrill Av. *Ports* —3C **30**
Burrows Clo. *Hav* —6G **21**
Bursledon Pl. *Water* —4F **19**
Bursledon Rd. *Water* —4F **19**
Burwood Gro. *Hay I* —2C **54**
Bury Clo. *Gos* —3D **48**
Bury Cres. *Gos* —3D **48**
Bury Cross. *Gos* —3C **48**
Bury Hall La. *Gos* —4C **48**
Bury Rd. *Gos* —3C **48**
Bush Ho. *S'sea* —4C **50** (6F **5**)
Bush St. E. *S'sea*
—4C **50** (6F **5**)
Bush St. W. *S'sea*
—4C **50** (6F **5**)
Bushy Mead. *Water* —6E **19**
Butcher St. *Ports*
—2A **50** (3B **4**)
Butser Ct. *Water* —2D **6**

Butser Wlk. *Fare* —3G **25**
Butterfly Dri. *Ports* —2E **29**
Byerley Clo. *Westb* —4F **23**
Byerley Rd. *Ports* —2F **51**
(in two parts)
Byngs Bus. Pk. *Water* —4D **8**
Byrd Clo. *Water* —4G **9**
Byres, The. *Fare* —2E **37**
Byron Clo. *Fare* —1A **26**
Byron Rd. *Ports* —5B **42**

Cadgwith Pl. *Port S* —4F **29**
Cadnam Ct. *Gos* —4H **47**
Cadnam Lawn. *Hav* —2D **20**
Cadnam Rd. *S'sea* —4H **51**
Cador Dri. *Fare* —5H **27**
Caen Ho. *Fare* —3G **25**
Cains Clo. *Fare* —2E **37**
Cairo Ter. *Ports* —6H **41**
Caldecote Wlk. *S'sea*
—3C **50** (4E **5**)
Calder Ho. *Ports* —2B **4**
Calshot Rd. *Hav* —2C **20**
Calshot Way. *Gos* —4B **38**
Camber Pl. *Ports*
—4A **50** (6B **4**)
Cambrian Ter. *S'sea* —6H **5**
Cambrian Wlk. *Fare* —4H **25**
Cambridge Building. *Ports*
—3B **50** (4D **4**)
Cambridge Ho. *Ports*
—3B **50** (5D **4**)
Cambridge Junct. *Ports*
—3B **50** (5D **4**)
Cambridge Rd. *Gos* —1A **48**
Cambridge Rd. *Lee S* —2D **46**
Cambridge Rd. *Ports*
—3B **50** (5D **4**)
Camcross Clo. *Ports* —2F **29**
Camden St. *Gos* —1C **48**
Camelia Clo. *Hav* —6A **22**
Camelot Cres. *Fare* —2H **27**
Cameron Clo. *Gos* —2C **38**
Campbell Cres. *Water* —4E **19**
Campbell Mans. *S'sea* —4E **51**
Campbell Rd. *S'sea* —4D **50**
Campion Clo. *Water* —3A **20**
Camp Rd. *Gos* —2D **38**
Cams Bay Clo. *Fare* —2F **27**
Cams Hill. *Fare* —2D **26**
(in two parts)
Canal Wlk. *Ports*
—2D **50** (3H **5**)
Canberra Clo. *Gos* —3B **48**
Canberra Ct. *Gos* —3B **48**
Canberra Ho. *Ports*
—2C **50** (2G **5**)
Cannock Wlk. *Fare* —4G **25**
Canons Barn Clo. *Fare* —2A **28**
Canterbury Clo. *Lee S* —3F **47**
Canterbury Rd. *Fare* —2E **37**
Canterbury Rd. *S'sea* —4F **51**
Capel Ley. *Water* —5G **19**
Captains Row. *Ports*
—4A **50** (6B **4**)
Caravan Pk. *Hay I* —5C **44**
Caraway. *White* —2A **12**
Carberry Dri. *Fare* —4H **27**
Carbery Ct. *Hav* —2D **20**
Carbis Clo. *Port S* —4E **29**
Cardiff Rd. *Ports* —3H **41**
Cardinal Dri. *Water* —6B **10**
Carisbrooke Av. *Fare* —3C **36**
Carisbrooke Clo. *Hav* —1H **33**
Carisbrooke Ho. *Gos* —2B **38**
Carisbrooke Rd. *S'sea* —3G **51**
Carless Clo. *Gos* —6D **38**
Carlisle Rd. *Ports* —2D **50**

Carlton Rd. *Fare* —2B **28**
Carlton Rd. *Gos* —2E **49**
Carlton Way. *Gos* —2E **49**
Carlyle Rd. *Gos* —2D **48**
Carmarthen Av. *Ports* —2D **30**
Carmine Ct. *Gos* —1G **47**
Carnarvon Rd. *Gos* —3C **48**
Carnarvon Rd. *Ports* —5B **42**
Carne Pl. *Port S* —4E **29**
Caroline Gdns. *Fare* —1E **25**
Caroline Ho. *Ports* —1C **4**
Caroline Pl. *Gos* —1D **48**
Carpenter Clo. *S'sea* —4G **51**
Carran Wlk. *Fare* —4G **25**
Carronade Wlk. *Ports* —6B **30**
Carshalton Av. *Ports* —3D **30**
Carter Ho. *Gos* —6B **26**
(off Woodside)
Carter Ho. *Ports*
—2A **50** (2C **4**)
Cartwright Dri. *Fare* —1A **24**
Cascades App. *Ports*
—1C **50** (1F **5**)
Cascades Shop. Cen. *Ports*
—1C **50** (1F **5**)
Cask St. *Ports* —1C **50**
(off Landport Vw.)
Caspar John Clo. *Fare* —4D **36**
Castle Av. *Hav* —2H **33**
Castle Clo. *S'sea*
—4C **50** (6F **5**)
Castle Esplanade. *S'sea*
—6C **50**
Castle Gro. *Fare* —4B **28**
Castlemans La. *Hay I* —4C **44**
Castle Marina. *Lee S* —3D **46**
Castle Rd. *Row C* —5G **11**
Castle Rd. *S'sea*
—4B **50** (6F **5**)
Castle Rd. *S'wick* —3D **16**
Castle St. *Portc* —3B **28**
Castle St. *Titch* —3C **24**
Castleton Ct. *S'sea* —4B **50**
(off Southsea Ter.)
Castle Trad. Est. *Fare* —3C **28**
Castle Vw. *Gos* —5H **39**
Castle Vw. Rd. *Fare* —5B **28**
Castleway. *Hav* —2H **33**
Cathedral Ho. *Ports* —6B **4**
Catherington Hill. *Cath* —2B **6**
Catherington La. *Water* —5A **6**
Catherington Way. *Hav* —5F **21**
Catisfield Ho. *Ports* —1H **5**
Catisfield La. *Fare* —2D **24**
Catisfield Rd. *Fare* —2E **25**
Catisfield Rd. *S'sea* —2H **51**
Causeway Farm. *Water*
—1B **10**
Causeway, The. *Fare* —2E **27**
Cavanna Clo. *Gos* —2B **38**
Cavell Dri. *Ports* —2A **30**
Cavendish Clo. *Water* —1H **19**
Cavendish Dri. *Water* —1H **19**
Cavendish Rd. *S'sea* —4D **50**
Cawte's Pl. *Fare* —2C **26**
Cecil Gro. *S'sea* —4B **50**
Cecil Pl. *S'sea* —4B **50**
Cedar Clo. *Gos* —4G **39**
Cedar Clo. *Water* —3G **19**
Cedar Ct. *Fare* —2C **26**
Cedar Ct. *S'sea* —4D **50**
Cedar Cres. *Horn* —2C **10**
Cedar Gdns. *Hav* —1G **33**
Cedar Gro. *Ports* —6D **42**
Cedars, The. *Fare* —5H **13**
Cedar Way. *Fare* —3G **25**
Cedarwood Lodge. *Fare*
(off Northwood Sq.) —1B **26**
Celandine Av. *Water* —4B **10**

Celia Clo. *Water* —1B **20**
Cemetery La. *Ems* —5G **23**
Cemetery La. *Water* —2B **8**
Centaur St. *Ports* —5H **41**
Central Rd. *Fare* —4H **27**
Central Rd. *Ports* —4E **31**
Central St. *Ports*
—1D **50** (1H **5**)
Cessac Ho. *Gos* —6E **49**
Chadderton Gdns. *Ports*
—4B **50** (6D **4**)
Chaffinch Grn. *Water* —3G **9**
Chaffinch Way. *Fare* —3F **27**
Chaffinch Way. *Lee S* —6H **37**
Chale Clo. *Gos* —3C **38**
Chalk Hill Rd. *Water* —5C **6**
Chalk La. *Fare* —2D **24**
Chalk Pit Rd. *Ports* —2F **29**
Chalk Ridge. *Cath* —2D **6**
Chalkridge Rd. *Ports* —2C **30**
Chalky Wlk. *Fare* —6F **13**
Challenge Enterprise Cen., The.
Ports —2D **42**
Challenger Dri. *Gos* —6A **40**
Chalton Cres. *Hav* —4D **20**
Chalton La. *Water* —1F **7**
(in two parts)
Chamberlain Gro. *Fare* —3A **26**
Chanctonbury Ho. *S'sea*
—4C **50** (6G **5**)
Chandlers Clo. *Hay I* —5E **55**
Chantrell Wlk. *Fare* —6F **13**
Chantry Rd. *Gos* —6F **39**
Chantry Rd. *Water* —5B **6**
Chapel La. *Water* —2G **19**
Chapelside. *Fare* —3C **24**
Chapel Sq. *Gos* —6F **39**
Chapel St. *Gos* —5H **39**
Chapel St. *Ports* —5A **42**
Chapel St. *S'sea*
—4C **50** (6E **5**)
Chaplains Av. *Water* —4F **9**
Chaplains Clo. *Water* —4F **9**
Charden Rd. *Gos* —5D **38**
Charfield Clo. *Fare* —3F **25**
Chark La. *Lee S* —5H **37**
Charlcott Lawn. *Hav* —3D **20**
Charlemont Dri. *Fare* —2D **26**
Charlesbury Av. *Gos* —3B **48**
Charles Clark Ho. *S'sea*
—3G **51**
Charles Clo. *Water* —3F **19**
Charles Dickens St. *Ports*
—2C **50** (3F **5**)
Charles Norton-Thomas Ct.
Ports —2B **50** (3C **4**)
(off St George's Way)
Charles St. *Ports*
—1D **50** (1H **5**)
Charleston Clo. *Hay I* —4A **54**
Charlesworth Dri. *Water* —5F **9**
Charlesworth Gdns. *Water*
—6F **9**
Charlotte Ct. *S'sea* —4C **50**
Charlotte M. *Gos* —5C **48**
Charlotte St. *Ports*
—1C **50** (1F **5**)
Charlton Ho. *Ports*
—1C **50** (1G **5**)
Charminster. *S'sea* —5E **51**
(off Craneswater Pk.)
Charminster Clo. *Water*
—1G **19**
Charnwood. *Gos* —3D **38**
Charter Ho. *S'sea* —4F **51**
Chartwell Dri. *Hav* —6A **22**
Chase, The. *Gos* —3B **48**
Chasewater Av. *Ports* —6C **42**
Chatburn Av. *Water* —4G **9**

Chatfield Av. *Ports* —4E **41**
Chatfield Ho. *Ports* —1D **50**
(off Fyning St.)
Chatfield Rd. *Gos* —1C **38**
Chatham Clo. *Gos* —6A **40**
Chatham Dri. *Ports* —4B **50**
Chatsworth Av. *Ports* —5B **30**
Chatsworth Clo. *Fare* —2E **25**
Chatsworth Ct. *S'sea* —4D **50**
Chaucer Av. *Ports* —2C **28**
Chaucer Clo. *Fare* —1H **25**
Chaucer Clo. *Water* —5G **9**
Chaucer Ho. *Ports*
—2C **50** (3G **5**)
Chedworth Cres. *Ports* —2E **29**
Cheeryble Ho. *Ports* —6H **41**
Chelmsford Rd. *Ports* —3B **42**
Chelsea Rd. *S'sea* —4D **50**
Cheltenham Cres. *Lee S*
—6H **37**
Cheltenham Rd. *Ports* —3G **29**
Chepstow Ct. *Water* —6B **10**
Cheriton Clo. *Hav* —4D **20**
Cheriton Clo. *Water* —6B **6**
Cheriton Rd. *Gos* —3B **48**
Cherque La. *Lee S* —5A **38**
Cherry Blossom Ct. *Ports*
—6H **41**
Cherry Clo. *Lee S* —2E **47**
Cherrygarth Rd. *Fare* —2E **25**
Cherry Tree Av. *Fare* —3F **25**
Cherry Tree Av. *Water* —4B **10**
Cherrywood Gdns. *Hay I*
—3C **54**
Chervil Clo. *Water* —4C **6**
Cheshire Clo. *White* —4B **12**
Cheshire Way. *Ems* —1H **35**
Cheslyn Rd. *Ports* —1H **51**
Chester Courts. *S'sea* —3E **49**
Chester Cres. *Lee S* —3F **47**
Chesterfield Rd. *Ports* —5C **42**
Chester Pl. *S'sea* —5D **50**
Chesterton Gdns. *Water* —4G **9**
Chestnut Av. *Hav* —6B **20**
Chestnut Av. *S'sea* —3F **51**
Chestnut Av. *Water* —2C **10**
Chestnut Clo. *Water* —3B **8**
Chestnut Ct. *Row C* —1H **21**
Chestnut Wlk. *Gos* —4G **39**
Chetwynd Rd. *S'sea* —4E **51**
Chevening Ct. *S'sea* —2H **51**
Cheviot Wlk. *Fare* —4H **25**
Chewter Clo. *S'sea* —6E **51**
Cheyne Way. *Lee S* —2D **46**
Chichester Av. *Hay I* —5B **54**
Chichester Clo. *Gos* —3B **38**
Chichester Ho. *Hav* —6G **21**
Chichester Rd. *Hay I* —4E **45**
Chichester Rd. *Ports* —5H **41**
Chidham Clo. *Hav* —1E **33**
Chidham Dri. *Hav* —1E **33**
Chidham Rd. *Ports* —2C **30**
Chidham Sq. *Hav* —1E **33**
Chidham Wlk. *Hav* —1E **33**
Chilbolton Ct. *Hav* —3H **21**
Chilcomb Clo. *Lee S* —1D **46**
Chilcombe Ho. *Hav* —6F **21**
Chilcote Rd. *Ports* —6C **42**
Childe Sq. *Ports* —3G **41**
Chilgrove Rd. *Ports* —3E **31**
Chilsdown Way. *Water* —5G **19**
Chiltern Ct. *Gos* —2D **48**
Chiltern Wlk. *Fare* —4H **25**
Chilworth Gdns. *Water* —1C **6**
Chilworth Gro. *Gos* —2C **48**
Chine, The. *Gos* —4D **38**
Chipstead Ho. *Ports* —3B **30**
Chipstead Rd. *Ports* —3B **30**
Chitty Rd. *S'sea* —5G **51**

Chivers Clo. *S'sea*
—4C **50** (6G **5**)
Christchurch Gdns. *Water*
—1D **30**
Christopher Way. *Ems* —1D **34**
Christyne Ct. *Water* —4F **19**
Church Clo. *Clan* —1F **7**
Churcher Clo. *Gos* —4H **47**
Churcher Rd. *Ems* —5F **23**
Churcher Wlk. *Gos* —4H **47**
Churchill Ct. *Ports* —3G **31**
Churchill Ct. *Water* —1A **10**
Churchill Dri. *Ems* —5D **22**
Churchill M. *Gos* —1C **48**
(off Forton Rd.)
Churchill Sq. *S'sea* —5H **51**
Churchill Yd. Ind. Est. *Water*
—6F **9**
Church La. *Hav* —4H **33**
Church La. *Hay I* —2E **45**
Church Path. *Ems* —3D **34**
Church Path. *Fare* —2C **26**
Church Path. *Gos* —3F **49**
Church Path. *Hav* —4H **33**
Church Path. *Horn* —1D **10**
Church Path. *Titch* —3C **24**
Chu. Path N. *Ports*
—1D **50** (1G **5**)
Church Pl. *Fare* —1C **26**
Church Rd. *Fare* —5C **28**
Church Rd. *Gos* —5C **48**
Church Rd. *Hay I* —3C **54**
Church Rd. *Ports*
(in two parts) —1D **50** (1H **5**)
Church Rd. *S'brne* —3H **35**
Church Rd. *Westb* —6F **23**
Church St. *Ports* —6G **41**
Church St. *Titch* —3C **24**
Church Vw. *S'sea* —3G **51**
Church Vw. *Westb* —6F **23**
Cinderford Clo. *Ports* —2G **29**
Circle, The. *S'sea* —5D **50**
Circle, The. *Wick* —1A **14**
Circular Rd. *Ports*
—6F **41** (1D **4**)
City Quay. *Ports*
—3A **50** (4B **4**)
Civic Cen. Rd. *Hav* —1F **33**
Civic Way. *Fare* —2C **26**
Clacton Rd. *Ports* —3H **29**
Claire Gdns. *Water* —3C **6**
Clanfield Ho. *Ports*
—1D **50** (1H **5**)
Clanwilliam Rd. *Lee S* —1D **46**
Clare Ho. *Gos* —6F **39**
Claremont Gdns. *Water*
—5G **19**
Claremont Rd. *Ports* —2E **51**
Clarence Esplanade. *S'sea*
—5B **50**
Clarence Pde. *S'sea* —5B **50**
Clarence Rd. *Gos* —2F **49**
Clarence Rd. *S'sea* —5D **50**
Clarence St. *Ports* —1C **50**
Clarendon Ct. *S'sea* —6D **50**
(off Clarendon Rd.)
Clarendon Pl. *Ports*
(Arundel Way) —2C **50** (2G **5**)
Clarendon Pl. *Ports* —1D **50**
(Clarendon St.)
Clarendon Rd. *Hav* —2E **33**
Clarendon Rd. *S'sea* —5C **50**
Clarendon St. *Ports* —1D **50**
Clarke's Rd. *Ports* —1F **51**
Claudia Ct. *Gos* —1B **48**
Claxton St. *Ports*
—2D **50** (2H **5**)
Claybank Rd. *Ports* —4C **42**
Claybank Spur. *Ports* —4C **42**

Claydon Av. *S'sea* —3G **51**
Clayhall Rd. *Gos* —5C **48**
Clee Av. *Fare* —3F **25**
Cleeve Clo. *Ports* —2F **29**
Clegg Rd. *S'sea* —4G **51**
Clement Attlee Way. *Ports*
—3F **29**
Cleveland Dri. *Fare* —3F **25**
Cleveland Rd. *Gos* —4D **48**
Cleveland Rd. *S'sea* —3E **51**
Cleverley Ho. *Ports* —3B **4**
Cliffdale Gdns. *Cosh* —2C **30**
Cliff Rd. *Fare* —4A **36**
Clifton Cres. *Water* —3D **8**
Clifton Rd. *Lee S* —3E **47**
Clifton Rd. *S'sea* —5C **50**
Clifton St. *Gos* —1B **48**
Clifton St. *Ports* —1E **51**
Clifton Ter. *S'sea* —5C **50**
Climaur Ct. *S'sea* —5D **50**
Clinton Rd. *Water* —4E **9**
Clive Gro. *Fare* —4A **28**
Clive Rd. *Ports* —1E **51**
Clock St. *Ports*
—2A **50** (3B **4**)
Clocktower Dri. *S'sea* —5H **51**
Cloisters, The. *Fare* —1E **25**
Close, The. *Fare* —3A **28**
Close, The. *Ports* —4C **30**
Close, The. *S'sea* —4C **50**
Close, The. *Titch* —4B **24**
Closewood Rd. *Water* —6C **8**
Clovelly Rd. *Ems* —3C **34**
Clovelly Rd. *Hay I* —1E **45**
Clovelly Rd. *S'brne* —2H **35**
Clovelly Rd. *S'sea* —3G **51**
Clover Clo. *Gos* —3C **38**
Clover Ct. *Water* —3A **20**
Cluster Ind. Est. *S'sea* —2F **51**
Clydebank Rd. *Ports* —5H **41**
Clyde Ct. *Gos* —1B **48**
Clyde Rd. *Gos* —1B **48**
Coach Hill. *Fare* —3B **24**
Coach Ho. *S'sea* —3A **52**
Coal Yd. Rd. *S'sea* —2F **51**
Coastguard Clo. *Gos* —5B **48**
Coastguard Cotts. *Hav* —5F **33**
Coates Way. *Water* —4G **19**
Cobalt Ct. *Gos* —1G **47**
Cobblewood. *Ems* —6D **22**
Cobden Av. *Ports* —5C **42**
Cobden St. *Gos* —2D **48**
Cobham Gro. *White* —4A **12**
Coburg St. *Ports* —2D **50**
Cochrane Clo. *Gos* —1H **47**
Cochrane Ho. *Ports*
—2A **50** (3B **4**)
Cockleshell Gdns. *S'sea*
—4A **52**
Codrington Ho. *Ports* —2B **4**
Coghlan Clo. *Fare* —1B **26**
Colbury Gro. *Hav* —4C **20**
Colchester Rd. *Ports* —2H **29**
Cold Harbour Clo. *Wick*
—2A **14**
Coldharbour Farm Rd. *Ems*
—2D **34**
Coldhill La. *Water* —6A **6**
(in two parts)
Colebrook Av. *Ports* —5D **42**
Colemore Sq. *Hav* —5F **21**
Colenso Rd. *Fare* —2A **26**
Coleridge Gdns. *Water* —3H **9**
Coleridge Rd. *Ports* —2D **28**
Colesbourne Rd. *Ports* —2F **29**
Colinton Av. *Fare* —2B **28**
College Clo. *Row C* —6H **11**
College La. *Ports*
—2A **50** (3B **4**)

College Rd. *Navy*
—2A **50** (1B **4**)
College Rd. *Pur* —1G **31**
College St. *Ports*
—2A **50** (3B **4**)
Collington Cres. *Ports* —2F **29**
Collingwood Ho. *Fare* —1F **25**
Collingwood Retail Pk. *Fare*
—5A **26**
Collingwood Rd. *S'sea* —5D **50**
Collins Rd. *S'sea* —5G **51**
Collis Rd. *Ports* —5C **42**
Colpoy St. *S'sea*
—3B **50** (5E **5**)
Coltsfoot Dri. *Water* —4H **19**
Coltsmead. *Ports* —3D **28**
Colville Rd. *Ports* —3C **30**
Colwell Rd. *Ports* —4B **30**
Comfrey Clo. *Water* —4C **6**
Comley Hill. *Hav* —2A **22**
Commercial Pl. *Ports*
—1C **50** (1G **5**)
Commercial Rd. *Ports*
(in two parts) —2C **50** (2F **5**)
Comn. Barn La. *Lee S* —6H **37**
(in two parts)
Common La. *S'wick* —1C **16**
Common La. *Titch* —3A **24**
Commonside. *Ems* —4F **23**
Common St. *Ports* —1D **50**
Compass Clo. *Gos* —1H **47**
Compass Point. *Fare* —3B **26**
Compass Rd. *Ports* —4F **29**
Compton Clo. *Hav* —6F **21**
Compton Clo. *Lee S* —1D **46**
Compton Ct. *Hav* —1E **33**
Compton Rd. *Ports* —2A **42**
Conan Rd. *Ports* —1A **42**
Concorde Way. *Fare* —4A **12**
Condor Av. *Fare* —3F **27**
Conford Ct. *Hav* —3D **20**
Conifer Clo. *Water* —5A **10**
Conifer Gro. *Gos* —1B **38**
Conifer M. *Fare* —2B **28**
Conigar Rd. *Ems* —6D **22**
Coniston Av. *Ports* —5C **42**
Coniston Wlk. *Fare* —4G **25**
Connaught La. *Ports* —2D **28**
Connaught Rd. *Hav* —2G **33**
Connaught Rd. *Ports* —3H **41**
Connigar Clo. *Gos* —6C **38**
Connors Keep. *Water* —3F **9**
Conqueror Way. *Fare* —4F **37**
Consort Ct. *Fare* —2C **26**
Consort Ho. *Ports* —6H **41**
(off Prince's St.)
Constable Clo. *Gos* —6E **49**
Convent Ct. *Ems* —2C **34**
Convent La. *Ems* —3D **34**
Cooks La. *Ems* —2H **35**
Cooley Ho. *Gos* —1B **38**
Coombe Farm Av. *Fare* —3A **26**
Coombe Rd. *Gos* —6H **39**
Coombs Clo. *Water* —4C **6**
Cooper Gro. *Fare* —5B **28**
Cooper Rd. *Ports* —5D **42**
Copnor Rd. *Ports* —6B **30**
Copper Beech Dri. *Ports*
—3G **31**
Copperfield Ho. *Ports* —6H **41**
Copper St. *S'sea*
—4B **50** (6E **5**)
Coppice, The. *Gos* —3D **38**
Coppice, The. *Water* —1A **10**
Coppice Way. *Fare* —6F **13**
Coppins Gro. *Fare* —5A **28**
Copse Clo. *Water* —1F **31**
Copse La. *Gos* —4D **38**
Copse La. *Hay I* —5C **44**

Copse, The. *Fare* —5F **13**
Copsey Clo. *Ports* —3F **31**
Copsey Gro. *Ports* —4F **31**
Copsey Path. *Ports* —3F **31**
Copythorn Rd. *Ports* —4B **42**
Coral Clo. *Fare* —5A **28**
Coral Ct. *Gos* —1G **47**
Coralin Gro. *Water* —6B **10**
Corbett Rd. *Water* —3F **19**
Corby Cres. *Ports* —1D **42**
Corfe Clo. *Fare* —3C **36**
Corhampton Cres. *Hav*
—5D **20**
Corhampton Ho. *Ports* —1H **5**
Coriander Way. *White* —1A **12**
Cormorant Clo. *Fare* —3F **27**
Cormorant Wlk. *Gos* —3B **38**
Cornaway La. *Fare* —4H **27**
Cornbrook Gro. *Water* —6C **10**
Cornelius Dri. *Water* —6A **10**
Corner Mead. *Water* —3B **8**
Cornfield. *Fare* —5B **14**
Cornfield Rd. *Lee S* —1D **46**
Cornwallis Cres. *Ports* —1D **50**
Cornwallis Ho. *Ports* —1D **50**
(off Cornwallis Cres.)
Cornwall Rd. *Ports* —2E **51**
Cornwell Clo. *Gos* —6D **38**
Cornwell Clo. *Ports* —3F **41**
Coronado Rd. *Gos* —6H **39**
Coronation Eventide Homes.
Ports —1A **42**
Coronation Rd. *Hay I* —6G **55**
Coronation Rd. *Water* —1G **19**
Cort Way. *Fare* —5E **13**
Cosham Pk. Av. *Ports* —4B **30**
Cotswold Clo. *Hav* —3E **21**
Cotswold Wlk. *Fare* —4H **25**
Cottage Clo. *Water* —4B **8**
Cottage Gro. *Gos* —2D **48**
Cottage Gro. *S'sea*
—3C **50** (5G **5**)
Cottage Vw. *Ports*
—2D **50** (2H **5**)
Cotteridge Ho. *S'sea*
—2D **50** (4H **5**)
Cottesloe Ct. *S'sea* —5C **50**
Cottes Way. *Fare* —4C **36**
Cottesway E. *Fare* —4D **36**
Cotton Dri. *Ems* —5C **22**
(in two parts)
Cotwell Av. *Water* —3B **10**
Coulmere Rd. *Gos* —1C **48**
Country Vw. *Fare* —1D **36**
County Gdns. *Fare* —3E **25**
Ct. Barn Clo. *Lee S* —6H **37**
Ct. Barn La. *Lee S* —6H **37**
Court Clo. *Ports* —4D **30**
Courtenay Clo. *Fare* —6A **12**
Courtlands Ter. *Water* —3A **10**
Court La. *Ports* —4D **30**
Court Mead. *Ports* —3D **30**
Courtmount Gro. *Ports*
—3C **30**
Courtmount Path. *Ports*
—2C **30**
Court Rd. *Lee S* —6G **37**
Cousins Gro. *S'sea* —5G **51**
Coventry Ct. *Gos* —1H **47**
Coverack Way. *Port S* —4F **29**
Covert Gro. *Water* —4A **20**
Covindale Ho. *S'sea* —4G **51**
Covington Rd. *Ems* —4F **23**
Cowan Rd. *Water* —4F **19**
Coward Rd. *Gos* —5B **48**
Cowdray Ho. *Ports* —2H **5**
Cowdray Pk. *Fare* —3C **36**
Cowes Ct. *Fare* —3E **25**
Cow La. *Portc* —4B **28**

Cow La. *Ports* —4H **29**
Cowper Rd. *Ports* —1E **51**
Cowslip Clo. *Gos* —3C **38**
Crabbe Ct. *S'sea*
—3C **50** (5G **5**)
Crabden La. *Horn* —5E **7**
Crabthorne Farm La. *Fare*
—2D **36**
Crabwood Ct. *Hav* —2D **20**
Craddock Ho. *Ports* —2B **4**
Craig Ho. *S'sea* —5D **50**
(off Marmion Av.)
Craigwell Rd. *Water* —5G **19**
Cranborne Rd. *Ports* —2C **30**
Cranborne Wlk. *Fare* —4G **25**
Cranbourne Rd. *Gos* —4E **49**
Craneswater Av. *S'sea* —6E **51**
Craneswater Ga. *S'sea* —6E **51**
Craneswater M. *S'sea* —5E **51**
(off Craneswater Pk.)
Craneswater Pk. *S'sea* —5E **51**
Cranleigh Av. *Ports* —1E **51**
Cranleigh Rd. *Fare* —4G **27**
Cranleigh Rd. *Ports* —1E **51**
Crasswell St. *Ports*
(in two parts) —1C **50** (1G **5**)
Craven Ct. *Fare* —6G **13**
Crawford Dri. *Fare* —6H **13**
Crawley Av. *Hav* —3G **21**
Credenhill Rd. *Ports* —2G **29**
Creech Vw. *Den* —3A **8**
Creek End. *Ems* —4D **34**
Creek Rd. *Gos* —3F **49**
Creek Rd. *Hay I* —5F **55**
Creek Vw. Cvn. Est. *Hay I*
—5G **55**
Cremyll Clo. *Fare* —3E **37**
Crescent Gdns. *Fare* —2A **26**
Crescent Rd. *Fare* —2A **26**
Crescent Rd. *Gos* —6C **48**
Crescent, The. *Ems* —3H **35**
Crescent, The. *Water* —5E **19**
Cressy Rd. *Ports* —6H **41**
Crest Clo. *Fare* —2D **26**
Crestland Clo. *Water* —4A **10**
Crest, The. *Water* —1E **31**
Cricket Dri. *Water* —1A **10**
Crinoline Gdns. *S'sea* —5G **51**
Crisspyn Clo. *Water* —1B **10**
Croad Ct. *Fare* —2C **26**
Crockford Rd. *Ems* —5F **23**
Croftlands Av. *Fare* —2E **37**
Croft La. *Hay I* —4C **44**
Croft La. *Water* —6C **6**
Crofton Av. *Lee S* —5E **37**
Crofton Clo. *Water* —4E **19**
Crofton Ct. *Fare* —3E **37**
Crofton La. *Fare* —4D **36**
Crofton Rd. *Ports* —3A **42**
Crofton Rd. *S'sea* —2H **51**
Croft Rd. *Ports* —4H **41**
(in two parts)
Croft, The. *Fare* —1E **37**
Cromarty Av. *S'sea* —3H **51**
Cromarty Clo. *Fare* —2D **36**
Crombie Clo. *Water* —3H **9**
(in two parts)
Cromer Rd. *Ports* —2A **30**
Cromhall Clo. *Fare* —3E **25**
Cromwell Rd. *S'sea* —5H **51**
Crondall Av. *Hav* —3E **21**
Crooked Wlk. La. *S'wick*
—6C **16**
Crookham Clo. *Hav* —4C **20**
Crookhorn La. *Water* —2G **31**
Crossfell Wlk. *Fare* —4G **25**
Crossgill. *Water* —6A **6**
Crossland Clo. *Gos* —4E **49**
Crossland Dri. *Hav* —6F **21**

Cross La. *Water* —2A **10**
Cross Rd. *Lee S* —3E **47**
Cross St. *Ports* —2A **50** (2C **4**)
Cross St. *S'sea*
　　　　—3D **50** (4H **5**)
Cross Way. *Hav* —1E **33**
Crossways, The. *Gos* —1D **48**
Crossway, The. *Fare* —3H **27**
Crouch La. *Water* —6A **6**
　(in two parts)
Crown Clo. *Water* —6G **19**
Crown Ct. *Ports* —6C **4**
Crown Ct. *Ports* —1D **50**
　(Common St.)
Crown M. *Gos* —3F **49**
Crown St. *Ports* —1D **50**
Crowsbury Clo. *Ems* —6C **22**
Crusader Ct. *Gos* —6A **40**
Crystal Way. *Water* —1A **20**
Cuckoo La. *Fare* —2D **36**
Culloden Clo. *Fare* —1G **25**
Culloden Rd. *Fare* —5H **25**
Culver Dri. *Hay I* —6E **55**
Culver Sq. Ind. Est. *Ports*
　　　　—1C **42**
Culver Rd. *S'sea* —5G **51**
Cumberland Av. *Ems* —5C **22**
Cumberland Bus. Cen. *S'sea*
　　　　—2D **50**
Cumberland Ho. *Ports*
　　　　—1A **50** (1C **4**)
Cumberland Rd. *S'sea* —2D **50**
Cumberland St. *Ports*
　　　　—1A **50** (1C **4**)
Cunningham Clo. *Ports*
　　　　—1H **41**
Cunningham Ct. *S'sea* —5D **50**
　(off Collingwood Rd.)
Cunningham Dri. *Gos* —2D **38**
Cunningham Rd. *Horn* —6C **6**
Cunningham Rd. *Water*
　　　　—4F **19**
Curdridge Clo. *Hav* —4G **21**
Curie Rd. *Ports* —2A **30**
Curlew Clo. *Ems* —3C **34**
Curlew Dri. *Fare* —3F **27**
Curlew Gdns. *Water* —3H **9**
Curlew Path. *S'sea* —2H **51**
Curlew Wlk. *Gos* —2A **38**
Curtis Mead. *Ports* —1B **42**
Curtiss Gdns. *Gos* —3B **48**
Curve, The. *Gos* —2B **38**
Curve, The. *Water* —1H **9**
Curzon Howe Rd. *Ports*
　　　　—2A **50** (2C **4**)
Curzon Rd. *Water* —2G **19**
　(in two parts)
Cuthbert Rd. *Ports* —1F **51**
Cutlers La. *Fare* —2E **37**
Cygnet Ct. *Fare* —3F **27**
Cygnet Ho. *Gos* —6H **39**
Cygnet Rd. *Ports* —4H **31**
Cypress Cres. *Water* —2A **10**
Cyprus Rd. *Ports* —5A **42**

Dairymoor. *Wick* —1A **14**
Daisy La. *Gos* —3C **48**
Daisy Mead. *Water* —3A **20**
Dale Dri. *Gos* —6B **26**
Dale Pk. Ho. *Ports*
　　　　—2C **50** (2G **5**)
Dale Rd. *Fare* —2F **37**
Dale, The. *Water* —1E **31**
Dalewood Rd. *Fare* —2F **25**
Dallington Clo. *Fare* —4E **37**
Damask Gdns. *Water* —6B **10**
Dampier Clo. *Gos* —6C **38**
Danbury Ct. *Ems* —1E **35**

Dances Way. *Hay I* —3A **54**
Dandelion Clo. *Gos* —3B **38**
Dando Rd. *Water* —3C **8**
Danebury Clo. *Hav* —3E **21**
Danesbrook La. *Water* —2A **20**
Danes Rd. *Fare* —2H **27**
Darlington Rd. *S'sea* —4E **51**
Darren Clo. *Fare* —1F **37**
Darren Ct. *Fare* —1B **26**
Dartmouth M. *S'sea* —4B **50**
Dartmouth Rd. *Ports* —3C **42**
Darwin Ho. *Ports* —2H **5**
Darwin Way. *Gos* —1H **47**
Daubney Gdns. *Hav* —3D **20**
Daulston Rd. *Ports* —6B **42**
Davenport Clo. *Gos* —1G **47**
Daventry La. *Ports* —1E **43**
Davidia Ct. *Water* —3A **20**
Davidson Ct. *Ports* —3C **4**
Davis Clo. *Gos* —5C **38**
Davis Way. *Fare* —5A **26**
Daw La. *Hay I* —5B **44**
Dayshes Clo. *Gos* —2B **38**
Dayslondon Rd. *Water* —4F **19**
Deal Clo. *Fare* —1E **37**
Deal Rd. *Ports* —2A **30**
Deane Ct. *Hav* —4H **21**
Deane Gdns. *Lee S* —1D **46**
Deane's Pk. Rd. *Fare* —2D **26**
Dean Farm Est. *Fare* —4A **14**
Dean Rd. *Ports* —3C **30**
Deans Ga. *Fare* —4E **37**
Dean St. *Ports* —2A **50** (3C **4**)
Deanswood Dri. *Water* —6G **9**
Dean Vs. *Know* —2F **13**
Deep Dell. *Water* —2B **10**
Deeping Ga. *Water* —2A **20**
Deer Leap. *Fare* —4F **13**
Delamere Rd. *S'sea* —4E **51**
Delaval Ho. *Ports* —2C **4**
Delft Gdns. *Water* —5G **9**
De Lisle Clo. *Ports* —1B **42**
Delius Wlk. *Water* —4G **19**
Dell Clo. *Water* —1D **30**
Dellcrest Path. *Ports* —2D **30**
　(in two parts)
Dellfield Clo. *Ports* —2E **29**
Dell Piece E. *Horn* —2D **10**
Dell Piece W. *Horn* —1B **10**
Dell Quay Clo. *Gos* —3B **38**
Dell, The. *Fare* —2D **26**
Dell, The. *Hav* —1B **32**
Delme Ct. *Fare* —2A **26**
Delme Dri. *Fare* —1D **26**
Delme Sq. *Fare* —2B **26**
Delphi Way. *Water* —1H **31**
Delta Bus. Pk. *Fare* —4B **26**
Denbigh Dri. *Fare* —1H **25**
Dene Hollow. *Ports* —3F **31**
Denham Clo. *Fare* —3D **36**
Denhill Clo. *Hay I* —2A **54**
Denmead Cvn. Pk. *Water*
　　　　—3C **8**
Denmead Ho. *Ports*
　　　　—1D **50** (1H **5**)
Denmead La. *Den* —1D **8**
Denning M. *S'sea*
　　　　—2C **50** (3G **5**)
Denville Av. *Fare* —5B **28**
Denville Clo. *Ports* —3H **31**
Denville Clo. Path. *Ports*
　　　　—3H **31**
Denvilles Clo. *Hav* —1H **33**
Derby Ct. *Gos* —1G **47**
Derby Rd. *Ports* —4H **41**
Derlyn Rd. *Fare* —2A **26**
Dersingham Clo. *Ports* —2A **30**

Derwent Clo. *Fare* —1F **37**
Derwent Clo. *Water* —3C **6**
Derwent Rd. *Lee S* —2D **46**
Desborough Clo. *Ports*
　　　　—2E **29**
Deverell Pl. *Water* —6E **19**
Devon Rd. *Ports* —2C **42**
Devonshire Av. *S'sea* —3F **51**
Devonshire Sq. *S'sea* —3F **51**
Devonshire Way. *Fare* —3E **25**
Dhekelia Ct. *Ports* —1D **50**
Diamond St. *S'sea*
　　　　—4B **50** (6E **5**)
Diana Clo. *Ems* —5C **22**
Diana Clo. *Gos* —3A **48**
Dibden Clo. *Hav* —5C **20**
Dickens Clo. *Ports* —6H **41**
Dickson Pk. *Wick* —1A **14**
Dieppe Cres. *Ports* —1A **42**
Dieppe Gdns. *Gos* —3B **48**
Dight Rd. *Gos* —5E **49**
Discovery Clo. *Fare* —6E **25**
Ditcham Cres. *Hav* —5E **21**
Ditton Clo. *Fare* —2E **37**
Dockenfield Clo. *Hav* —5C **20**
Dock Mill Cotts. *S'sea* —5D **50**
Dock Rd. *Gos* —3E **49**
Dogwood Dell. *Water* —4H **19**
Dolman Rd. *Gos* —4E **49**
Dolphin Ct. *Fare* —1D **36**
Dolphin Ct. *Lee S* —1C **46**
Dolphin Ct. *S'sea* —6F **51**
Dolphin Cres. *Gos* —4E **49**
Dolphin Quay. *Ems* —3E **35**
Dolphin Way. *Gos* —6F **49**
Dominie Wlk. *Lee S* —1D **46**
Domum Rd. *Ports* —3B **42**
Domvilles App. *Ports* —4F **41**
Donaldson Rd. *Ports* —5B **30**
Donnelly St. *Gos* —1C **49**
Dorcas Clo. *Water* —6A **10**
Dore Av. *Fare* —3H **27**
Doric Clo. *Ems* —2H **35**
Dorking Cres. *Ports* —4B **30**
Dormington Rd. *Ports* —2G **29**
Dormy Way. *Gos* —4B **38**
Dorney Ct. *Ports* —4C **30**
Dornmere La. *Water* —2A **20**
Dorothy Ct. *S'sea* —4D **50**
Dorothy Dymond St. *Ports*
　　　　—2C **50** (3F **5**)
Dorrien Rd. *Gos* —6H **39**
Dorrita Av. *Water* —3A **10**
Dorrita Ct. *S'sea* —5F **51**
Dorset Clo. *Water* —1B **10**
Dorstone Rd. *Ports* —2G **29**
Douglas Gdns. *Hav* —5G **21**
Douglas Keep. *Water* —3G **9**
Douglas Rd. *Ports* —6C **42**
Dove Clo. *Water* —3H **9**
Dover Clo. *Fare* —2D **36**
Dover Ct. *Hay I* —2A **54**
Dovercourt Rd. *Ports* —5C **30**
Dover Rd. *Ports* —5C **42**
Dowley St. *Titch* —3B **24**
Down End. *Ports* —2E **31**
Downend Rd. *Fare* —2F **27**
Down End Rd. *Ports* —2E **31**
Down Farm Pl. *Water* —4C **6**
Downham Clo. *Water* —4H **9**
Downhouse Rd. *Water* —1A **6**
Downley Rd. *Hav* —5H **21**
Down Rd. *Horn* —4C **6**
　(in two parts)
Downs Clo. *Water* —6H **19**
Downside. *Gos* —3D **38**
Downside Rd. *Water* —6E **19**
Downsway, The. *Fare* —3A **28**
　(in two parts)

Downwood Way. *Horn* —4C **6**
Doyle Av. *Ports* —1A **42**
Doyle Clo. *Ports* —1A **42**
Doyle Ct. *Ports* —2A **42**
Doyle Ho. *Hav* —6B **20**
Dragon Est. *Ports* —4G **31**
Drake Ho. *Ports*
　　　　—2A **50** (2B **4**)
Drake Rd. *Lee S* —6F **37**
Draycote Rd. *Water* —2C **6**
Drayton La. *Ports* —2D **30**
Drayton Rd. *Ports* —4A **42**
Dreadnought Rd. *Fare* —6H **25**
Dresden Dri. *Water* —5G **9**
Drift Rd. *Fare* —1D **26**
Drift Rd. *Water* —2F **7**
Drift, The. *Row C* —6H **11**
Driftwood Gdns. *S'sea* —5A **52**
Drill Shed Rd. *Ports* —4F **41**
Drive, The. *Ems* —3H **35**
Drive, The. *Fare* —2A **26**
Drive, The. *Gos* —3A **38**
Drive, The. *Hav* —6F **21**
Droke, The. *Ports* —4B **30**
　(in two parts)
Drove Rd. *S'wick* —5E **17**
Droxford Clo. *Gos* —3B **48**
Drummond Rd. *Ports*
　　　　—1D **50** (1H **5**)
Dryden Av. *Ports* —2C **28**
Dryden Clo. *Fare* —1H **25**
Dryden Clo. *Water* —5G **9**
Drysdale M. *S'sea* —5H **51**
Duckworth Ho. *Ports*
　　　　—2A **50** (3C **4**)
Dudleston Heath Dri. *Water*
　　　　—5B **10**
Dudley Rd. *Ports* —6C **42**
Duffield La. *Ems* —6H **23**
Dugald Drummond St. *Ports*
　　　　—2C **50** (3F **5**)
Duisburg Way. *S'sea* —4B **50**
Duke Cres. *Ports* —6H **41**
Duke of Edinburgh Ho. *Ports*
　　　　—1D **4**
Dukes Rd. *Gos* —1C **48**
Dukes Wlk. *Water* —2G **19**
Dumbarton Clo. *Ports* —5H **41**
Dummer Ct. *Hav* —3D **20**
Dunbar Rd. *S'sea* —3H **51**
Duncan Cooper Ho. *Water*
　　　　—2F **19**
Duncan Rd. *S'sea* —5D **50**
Duncans Dri. *Fare* —3D **24**
Duncton Rd. *Water* —2H **7**
Duncton Way. *Gos* —2C **38**
Dundas Clo. *Ports* —3D **42**
Dundas La. *Ports* —4D **42**
Dundas Spur. *Ports* —3D **42**
Dundee Clo. *Fare* —6G **13**
Dundonald Clo. *Hay I* —2C **54**
Dunhurst Clo. *Hav* —6G **21**
Dunkeld Rd. *Gos* —6F **39**
Dunlin Clo. *S'sea* —2B **52**
Dunn Clo. *S'sea* —4H **51**
Dunnock Rd. *Row C* —6H **11**
Dunsbury Way. *Hav* —3E **21**
Dunsmore Clo. *S'sea*
　　　　—3C **50** (5F **5**)
Dunstable Wlk. *Fare* —3F **25**
Durban Homes. *Ports*
　　　　—1D **50** (1H **5**)
Durban Rd. *Ports* —6B **42**
Durford Ct. *Hav* —3D **20**
Durham Gdns. *Water* —4H **19**
Durham St. *Gos* —1C **48**
Durham St. *Ports*
　　　　—2C **50** (2G **5**)
Durland Rd. *Water* —5C **6**

Fawley Rd. *Ports* —6A **30**
Fay Clo. *Fare* —3E **37**
Fayre Rd. *Fare* —4A **26**
Fearon Rd. *Ports* —3A **42**
Felix Rd. *Gos* —6H **39**
Fell Dri. *Lee S* —6H **37**
Feltons Pl. *Ports* —6B **30**
Fen Av. *Fare* —4B **26**
Fennell Clo. *Water* —6F **9**
Ferncroft Clo. *Fare* —4E **37**
Ferndale. *Water* —2H **19**
Ferndale M. *Gos* —1B **38**
Fern Dri. *Hav* —1G **33**
Ferneham Rd. *Fare* —1E **25**
Fernhurst Clo. *Hav* —4H **53**
Fernhurst Rd. *S'sea* —3F **51**
Fernie Clo. *Fare* —3D **36**
Fern Way. *Fare* —6A **12**
Fernwood Ho. *Cowp* —5A **10**
Ferrol Rd. *Gos* —1E **49**
Ferry Gdns. *Gos* —2G **49**
Ferry Rd. *S'sea* —4B **52**
(in two parts)
Festing Gro. *S'sea* —5F **51**
Festing Rd. *S'sea* —5F **51**
Field Clo. *Gos* —6B **26**
Fielder Dri. *Fare* —5B **26**
Fielders Ct. *Water* —5E **19**
Fieldfare Clo. *Water* —1C **6**
Fieldhouse Dri. *Lee S* —5H **37**
Fieldmore Rd. *Gos* —6H **39**
Field Way. *Water* —3B **8**
Fifth Av. *Hav* —1H **33**
Fifth Av. *Ports* —3A **30**
Fifth St. *Ports* —6B **42**
Filmer Clo. *Gos* —5D **38**
Finchdean Rd. *Hav* —5D **20**
Finch Rd. *S'sea* —4B **52**
Finchwood Farm Ind. Units.
Hay I —4D **44**
Findon Rd. *Gos* —5H **39**
Finisterre Clo. *Fare* —1D **36**
Fir Copse Rd. *Water* —6F **19**
Firgrove Cres. *Ports* —6B **30**
Firlands Ri. *Hav* —2A **32**
Firs Av. *Water* —5H **9**
First Av. *Cath* —2C **6**
First Av. *Cosh* —3D **30**
First Av. *Ems* —3H **35**
First Av. *Farl* —3F **31**
First Av. *Hav* —1H **33**
Firs, The. *Gos* —4D **38**
Fir Tree Gdns. *Water* —2C **10**
Fir Tree Rd. *Hay I* —4C **54**
Fisgard Rd. *Gos* —6H **39**
Fisher Clo. *Fare* —2D **36**
Fishermans, The. *Ems* —3E **35**
Fisherman's Wlk. *Fare* —4B **28**
Fisherman's Wlk. *Hay I*
—5G **55**
Fisher Rd. *Gos* —2C **38**
Fishers Gro. *Ports* —4G **31**
Fishers Hill. *Fare* —1C **24**
Fishery Creek Cvn. Pk. *Hay I*
—5F **55**
Fishery La. *Hay I* —5E **55**
Fitzherbert Rd. *Ports* —4F **31**
Fitzherbert Spur. *Farl* —4G **31**
Fitzherbert St. *Ports* —1C **50**
Fitzpatrick Ct. *Ports* —2H **29**
Fitzroy Wlk. *Ports* —1D **50**
Fitzwilliam Av. *Fare* —3C **36**
Fitzwygram Cres. *Hav* —6F **21**
Five Heads Rd. *Water* —5A **6**
Five Post La. *Gos* —1D **48**
Flag Staff Grn. *Gos* —1F **49**
Flag Wlk. *Water* —2H **9**
Flamingo Ct. *Fare* —3F **27**
Flanders Ho. *Fare* —3G **25**

Flathouse Quay. *Ports* —6G **41**
Flathouse Rd. *Ports*
—1B **50** (1D **4**)
(Anchor Ga. Rd.)
Flathouse Rd. *Ports* —6G **41**
(Victory Retail Pk.)
Fleet Clo. *Gos* —4D **38**
Fleetend Clo. *Hav* —3E **21**
Fleet Farm Camping & Cvn.
Site. *Hay I* —5C **44**
Fleming Clo. *Fare* —5A **12**
Flexford Gdns. *Hav* —6G **21**
Flinders Ct. *S'sea* —5H **51**
Flint Ho. Path. *Ports* —5E **31**
Flint St. *S'sea* —4B **50** (6E **5**)
Florence Rd. *S'sea* —6D **50**
Florentine Way. *Water* —1A **20**
Florins, The. *Water* —6G **19**
Flying Bull Clo. Ports —5H **41**
(off Flying Bull La.)
Flying Bull La. *Ports* —5H **41**
Foley Ho. *Ports* —1D **50**
Folkestone Rd. *Ports* —6C **42**
Fontley La. *L Hth* —6C **12**
Fontley Rd. *Titch* —5C **12**
(in two parts)
Fontwell M. *Water* —6B **10**
Fontwell Rd. *S'sea* —5D **50**
Forbury Rd. *S'sea*
—3D **50** (4H **5**)
Fordingbridge Rd. *S'sea*
—4H **51**
Ford Rd. *Gos* —1B **48**
Foreland Ct. *Hay I* —5E **55**
Foremans Cotts. *Gos* —5F **49**
Forest Av. *Water* —4H **9**
Forest Clo. *Water* —4H **9**
Forest End. *Water* —2F **19**
Forest La. *Fare* —1C **14**
Forest Mead. *Water* —4B **8**
Forest Rd. *Den & Water* —3A **8**
Forestside Av. *Hav* —4G **21**
Forest Way. *Gos* —3D **38**
Forneth Gdns. *Fare* —3D **24**
Forsythia Clo. *Water* —5H **21**
Fort Cumberland Rd. *S'sea*
—4B **52**
Fort Fareham Ind. Site. *Fare*
—5A **26**
Fort Fareham Rd. *Fare* —5H **25**
Forth Clo. *Fare* —2D **36**
Forties Clo. *Fare* —1D **36**
Forton Rd. *Gos* —1C **48**
Forton Rd. *Ports* —1E **51**
Fort Rd. *Gos* —6C **48**
Fortune Ho. *Gos* —2C **48**
Fortune Way. *Hav* —2H **31**
Fort Wallington Ind. Est. *Fare*
—1D **26**
Forum, The. *Hav* —1E **33**
Foster Clo. *Fare* —1E **37**
Foster Rd. *Gos* —4C **48**
Foster Rd. *Ports* —1D **50**
Founders Way. *Gos* —3D **38**
Foundry Ct. *Ports*
—2A **50** (2C **4**)
Fountain St. *Ports*
—2C **50** (2F **5**)
Four Marks Grn. *Hav* —3H **21**
Fourth Av. *Hav* —1H **33**
Fourth Av. *Ports* —3A **30**
Fourth St. *Ports* —1F **51**
Foxbury. *Gos* —1D **38**
Foxbury Gro. *Fare* —4H **27**
Foxbury La. *Gos* —1D **38**
(in two parts)
Foxbury La. *Westb* —6F **23**
Foxcott Gro. *Hav* —4F **21**
Foxes Clo. *Water* —3G **19**

Foxgloves. *Fare* —6C **14**
Foxlea Gdns. *Gos* —6H **39**
Foxley Dri. *Ports* —1D **42**
Frances Rd. *Pur* —6F **19**
Francis Av. *S'sea* —4F **51**
Francis Clo. *Lee S* —2E **47**
Francis Pl. *Fare* —3F **37**
Francis Rd. *Horn* —2C **6**
Frank Judd Ct. *Ports* —3C **4**
Frankland Ter. *Ems* —3E **35**
Franklin Rd. *Gos* —6C **38**
Frank Miles Ho. *S'sea* —5G **5**
Frarydene. *Prin* —3H **35**
Fraser Gdns. *Ems* —1H **35**
Fraser Rd. *Gos* —1C **38**
Fraser Rd. *Hav* —1D **32**
Fraser Rd. *Ports* —3F **41**
Fraser Rd. *S'sea*
—3D **50** (4H **5**)
Frater La. *Gos* —4G **39**
Fratton Ct. Ports —2E 51
(off Penhale Rd.)
Fratton Ind. Est. *S'sea* —2F **51**
Fratton Rd. *Ports* —2E **51**
Frederick St. *Ports* —1C **50**
Freefolk Grn. *Hav* —3H **21**
Freemantle Rd. *Gos* —6H **39**
Freestone Rd. *S'sea* —5D **50**
Frenchies Vw. *Water* —3A **8**
French St. *Ports*
—4A **50** (6B **4**)
Frendstaple Rd. *Water* —2H **19**
Frensham Ct. *S'sea* —3F **51**
Frensham Rd. *S'sea* —3F **51**
Freshfield Gdns. *Water*
—1G **19**
Freshwater Ct. *Lee S* —1C **46**
Freshwater Ho. *Fare* —3E **25**
Freshwater Rd. *Ports* —4A **30**
Friars Pond Rd. *Fare* —2E **25**
Friary Clo. *S'sea* —5D **50**
Friary, The. *S'sea* —5C **50**
Frobisher Clo. *Gos* —1G **47**
Frobisher Gdns. *Ems* —3D **34**
Frobisher Gro. *Fare* —4A **28**
Frobisher Ho. *Ports*
—2A **50** (2B **4**)
Froddington Rd. *S'sea* —3D **50**
Frogham Grn. *Hav* —3C **20**
Frogmore. *Fare* —3E **25**
Frogmore La. *Water* —2H **9**
Frogmore Rd. *S'sea* —3G **51**
Frosthole Clo. *Fare* —6G **13**
Frosthole Cres. *Fare* —6G **13**
Froude Av. *Gos* —5E **49**
Froude Rd. *Gos* —5E **49**
Froxfield Clo. *S'sea* —2A **28**
Froxfield Ho. Ports
—1D **50** (1H **5**)
(off Buriton St.)
Froxfield Rd. *Hav* —4H **21**
Froyle Ct. *Hav* —4H **21**
Fry Rd. *Gos* —2E **49**
Fulflood Rd. *Hav* —4E **21**
Fullerton Clo. *Hav* —4H **21**
Fulmar Wlk. *Gos* —2A **38**
Fulmer Wlk. *Water* —3G **9**
Funtington Rd. *Ports* —5B **42**
Funtley Ct. *Fare* —5G **13**
Funtley Hill. *Fare* —5G **13**
Funtley La. *Fare* —4G **13**
Funtley Rd. *Fare* —3F **13**
Furdies. *Water* —3A **8**
Furlong Ho. *Ems* —2C **34**
Furneaux Gdns. *Fare* —6B **14**
Furness Rd. *S'sea* —6D **50**
Furniss Way. *Hay I* —3H **53**
Furnston Gro. *Ems* —2H **35**
Fury Way. *Fare* —2D **36**

Furzedown Cres. *Hav* —4G **21**
Furze Hall. *Fare* —5B **14**
Furzehall Av. *Fare* —6B **14**
Furze La. *S'sea* —3B **52**
Furzeley Rd. *Water* —5B **8**
Furze Way. *Water* —3B **10**
Furzley Ct. *Hav* —3C **20**
Fushia Clo. *Hav* —5A **22**
Fyning St. *Ports*
—1D **50** (1H **5**)

G

Gable M. *Hay I* —3C **54**
Gainsborough Ho. *S'sea*
—5E **51**
Gainsborough M. *Fare* —3B **24**
Gains Rd. *S'sea* —5E **51**
Galaxie Rd. *Water* —3B **10**
Gale Moor Av. *Gos* —4H **47**
Galt Rd. *Ports* —3G **31**
Gamble Rd. *Ports* —5H **41**
Gannets, The. *Fare* —2D **36**
Garden Clo. *Hay I* —4B **54**
Garden Ct. *Fare* —3B **28**
Gardenia Dri. *Fare* —6A **12**
Garden La. *S'sea* —4C **50**
Gardens, The. *Hav* —2H **33**
Garden Ter. *S'sea* —5D **50**
Gardner Rd. *Fare* —4B **24**
Garfield Rd. *Ports* —5H **41**
Garland Av. *Ems* —6D **22**
Garland Ct. *Gos* —2D **38**
Garnett Clo. *Fare* —1E **37**
Garnier Pk. *Wick* —1A **14**
Garnier St. *Ports* —2D **50**
Garrick Ho. *Ports* —1B **42**
Garsons Rd. *Ems* —3H **35**
Garstons Clo. *Fare* —3B **24**
Garstons Rd. *Fare* —3B **24**
Gatcombe Av. *Ports* —3B **42**
Gatcombe Dri. *Ports* —2B **42**
Gatcombe Gdns. *Fare* —3D **24**
Gate Ho. Rd. *Fare* —4G **27**
Gaulter Clo. *Hav* —6G **21**
Gawn Pl. *Gos* —5E **49**
Gaylyn Way. *Fare* —3D **24**
Gaza Ho. *Fare* —6E **13**
Gazelle Clo. *Gos* —2H **47**
Genoa Ho. *Port S* —4E **29**
Geoffrey Av. *Water* —1D **30**
Geoffrey Cres. *Fare* —4B **26**
George Byng Way. *Ports*
—5G **41**
George Ct., The. *Ports* —6C **4**
George St. *Gos* —2E **49**
George St. *Ports* —6A **42**
Georgia Clo. *Lee S* —6H **37**
Gerard Ho. *Ports* —1A **42**
Gibraltar Clo. *Fare* —1F **25**
Gibraltar Rd. *Fare* —5H **25**
Gibraltar Rd. *S'sea* —4B **52**
Gibson Clo. *Lee S* —6H **37**
(in two parts)
Gibson Clo. *White* —3A **12**
Gifford Clo. *Fare* —1G **25**
Gilbert Clo. *Gos* —5D **38**
Gilbert Mead. *Hay I* —3A **54**
Gilbert Way. *Water* —4G **19**
Giles Clo. *Fare* —6B **14**
Giles Clo. *Gos* —1C **48**
Gilkicker Rd. *Gos* —6E **49**
Gillies, The. *Fare* —2A **26**
(in two parts)
Gillman Rd. *Ports* —2G **31**
Gitsham Gdns. *Water* —6E **19**
Glade, The. *Fare* —5F **13**
Glade, The. *Hay I* —6E **55**
Glade, The. *Water* —1A **20**
Gladstone Gdns. *Fare* —4A **28**

Gladstone Pl.—Harcourt Clo.

Gladstone Pl. *Ports* —5H **41**
Gladstone Rd. *Gos* —6G **39**
Gladys Av. *Cowp* —3A **10**
Gladys Av. *Ports* —3H **41**
Glamis Clo. *Water* —1A **20**
Glamis Ct. *Fare* —2E **37**
Glamorgan Rd. *Water* —3B **6**
Glasgow Rd. *S'sea* —4H **51**
Glass Pool. *Water* —2A **8**
Glebe Clo. *Hay I* —2A **54**
Glebe Corner. *Wick* —2B **14**
Glebe Dri. *Gos* —4C **38**
Glebefield Gdns. *Ports* —3A **30**
Glebe Pk. Av. *Hav* —2A **32**
Glebe, The. *Fare* —4E **37**
Glenbrook Wlk. *Fare* —3E **25**
Glencoe Rd. *Ports* —6B **42**
Gleneagles Dri. *Water* —5B **10**
Glenelg. *Fare* —1H **25**
Glenesha Gdns. *Fare* —1F **25**
Glenleigh Av. *Ports* —4B **30**
Glenleigh Pk. *Hav* —1H **33**
Glen, The. *Gos* —4D **38**
Glenthorne Clo. *Fare* —4F **37**
Glenthorne Rd. *Ports* —4C **42**
Glenwood Gdns. *Water* —4H **9**
Glenwood Rd. *Ems* —4A **35**
Glidden Clo. *Ports* —2D **50**
Gloucester Ho. Gos —3E **49**
(off Holly St.)
Gloucester M. *S'sea*
—3C **50** (5F **5**)
Gloucester Pl. *S'sea*
—4C **50** (6F **5**)
Gloucester Rd. *Ports*
—1A **50** (1B **4**)
Gloucester Rd. *Water* —3H **51**
Gloucester Ter. *S'sea*
—4C **50** (6F **5**)
Gloucester Vw.
—4C **50** (5F **5**)
Glyn Dri. *Fare* —3E **37**
Glyn Way. *Fare* —3E **37**
Godiva Lawn. *S'sea* —4A **52**
Godwin Clo. *Ems* —6C **22**
Godwin Cres. *Water* —1C **6**
Godwit Clo. *Gos* —5H **39**
Godwit Rd. *S'sea* —1A **52**
Gofton Av. *Ports* —4D **30**
Goldcrest Clo. *Fare* —3E **27**
Goldcrest Clo. *Water* —6A **6**
Goldfinch La. *Lee S* —6H **37**
Goldring Clo. *Hay I* —4C **54**
Goldsmith Av. *S'sea* —4B **50** (6E **5**)
Gold St. *S'sea* —4B **50** (6E **5**)
Gomer Ct. *Gos* —4A **48**
Gomer La. *Gos* —3A **48**
Goodsell Clo. *Fare* —3D **36**
Goodwood Clo. *Gos* —5H **39**
Goodwood Clo. *Water*
—6B **10**
Goodwood Ct. *Ems* —3H **35**
Goodwood Rd. *Gos* —5H **39**
Goodwood Rd. *S'sea* —4E **51**
Gordon Rd. *Fare* —2A **26**
Gordon Rd. *Gos* —3C **48**
Gordon Rd. *Ports* —4B **50**
Gordon Rd. *S'brne* —4F **35**
Gordon Rd. *Water* —3F **19**
Goring Av. *Water* —2H **7**
(in three parts)
Gorley Ct. *Hav* —3D **20**
Gorran Av. *Gos* —4C **38**
Gorselands Way. *Gos* —5D **38**
Gorseway, The. *Hav* —4H **53**
Gosport Rd. *Hav* —4H **21**
Gosport Rd. *Fare* —4B **26**
Gosport Rd. *Lee S* —2D **46**
Gosport Rd. *Stub* —3F **37**

Gothic Bldgs. *S'sea*
—4D **50** (6H **5**)
Goyda Ho. *Gos* —1B **48**
Grafton St. *Ports* —6G **41**
Graham Rd. *Gos* —1C **48**
Graham Rd. *S'sea* —4E **51**
Granada Clo. *Water* —3A **10**
Granada Rd. *S'sea* —6E **51**
Grand Division Row. *S'sea*
—4A **52**
Grand Pde. *Hay I* —5C **54**
Grand Pde. *Ports*
—4A **50** (6B **4**)
Grange Clo. *Gos* —1B **48**
Grange Clo. *Hav* —1H **33**
Grange Cres. *Gos* —1B **48**
Grange La. *Gos* —5C **38**
(in two parts)
Grange Rd. *Gos* —3H **47**
Grange Rd. *Ports* —4H **41**
Grant Rd. *Ports* —3F **31**
Granville Clo. *Hav* —2G **33**
Grasmere Ho. *Ports* —2F **29**
Grasmere Way. *Fare* —1F **37**
Grassmere Way. *Water* —5B **10**
Graton Clo. *Gos* —6A **40**
Grayland Clo. *Hay I* —3A **54**
Grays Clo. *Gos* —4A **48**
Grays Ct. *Ports* —3A **50** (5C **4**)
Grayshott Rd. *Gos* —3B **48**
Grayshott Rd. *S'sea* —3F **51**
Gt. Copse Dri. *Hav* —3E **21**
Greatfield Way. *Row C* —4H **11**
Gt. Gays. *Fare* —4C **36**
Gt. Mead. *Water* —4C **8**
Gt. Southsea St. *S'sea*
—4C **50** (6F **5**)
Grebe Clo. *Ems* —5F **23**
Grebe Clo. *Fare* —3F **27**
Grebe Clo. *Water* —3G **9**
Greenacre Gdns. *Water* —5F **19**
Greenbanks Gdns. *Fare*
—1D **26**
Green Cres. *Gos* —4C **38**
Greendale Clo. *Fare* —5F **13**
Greendale, The. *Fare* —5F **13**
Grn. Farm Gdns. *Ports* —1B **42**
Greenfield Cres. *Water* —2C **10**
Greenfield Ri. *Water* —4B **10**
Greenhaven Cvn. Pk. *Hay I*
—6G **55**
Grn. Hollow Clo. *Fare* —5H **13**
Green La. *Clan* —1C **6**
Green La. *Gos* —5C **48**
(Anglesey Rd., in three parts)
Green La. *Gos* —6H **39**
(Grove Rd.)
Green La. *Hay I* —4A **54**
Green La. *Ports* —2B **42**
Green La. *Water* —2A **8**
Greenlea Clo. *Water* —1D **30**
Greenlea Gro. *Gos* —6F **39**
Green Link. *Lee S* —2D **46**
Grn. Pond Corner. *Hav* —2H **33**
Green Rd. *Fare* —1E **37**
Green Rd. *Gos* —5C **48**
Green Rd. *S'sea* —4C **50** (6F **5**)
Green, The. *Ports*
—2A **50** (2B **4**)
Green, The. *Row C* —5H **11**
Green, The. *Water* —2A **8**
Green Wlk. *Fare* —6G **13**
Greenway Rd. *Gos* —1D **48**
Greenway, The. *Ems* —6D **22**
Greenwood Av. *Ports* —3H **29**
Greenwood Clo. *Fare* —5A **14**
Greetham St. *S'sea*
—2C **50** (3G **5**)

Gregson Av. *Gos* —2C **38**
Gregson Clo. *Gos* —2C **38**
Grenfell Ct. *Ems* —6D **22**
Grenville Ho. *Ports* —3C **4**
Grenville Rd. *S'sea* —4E **51**
Grevillea Av. *Fare* —6A **12**
Greville Grn. *Ems* —5C **22**
Greyfriars Ct. *S'sea* —4C **50**
Greyfriars Rd. *Fare* —1E **25**
Greyshott Av. *Fare* —3E **25**
Greywell Rd. *Hav* —4F **21**
Greywell Shop. Cen. *Hav*
—4F **21**
Greywell Sq. *Hav* —4F **21**
Griffin Wlk. *Gos* —1G **47**
Grindle Clo. *Fare* —2A **28**
Gritanwood Rd. *S'sea* —4H **51**
Grosvenor Ct. *Fare* —3F **37**
Grosvenor Ho. *S'sea*
—3C **50** (5G **5**)
Grosvenor M. *Gos* —2E **49**
Grosvenor St. *S'sea*
—3C **50** (4G **5**)
Grove Av. *Fare* —5A **28**
Grove Av. *Gos* —2E **49**
Grove Bldgs. *Gos* —3E **49**
Grove Ho. *S'sea*
(Cottage Gro.) —4D **50** (6H **5**)
Grove Ho. *Gos* —6G **5**
(Elm Gro.)
Grove Rd. *Cosh* —4E **31**
Grove Rd. *Fare* —2A **26**
Grove Rd. *Gos* —1D **48**
Grove Rd. *Hav* —2F **33**
Grove Rd. *Lee S* —1C **46**
Grove Rd. N. *S'sea*
—4D **50** (6G **5**)
Grove Rd. S. *S'sea*
—5C **50** (6G **5**)
Grove, The. *Fare* —3D **36**
Grove, The. *Westb* —6F **23**
Gruneisen Rd. *Ports* —3G **41**
Guardhouse Rd. *Ports* —6F **41**
Guardroom Rd. *Ports* —4F **41**
Gudge Heath La. *Fare* —6F **13**
Guelders, The. *Water* —6G **19**
Guessens La. *Titch* —3B **24**
Guessens Path. *Titch* —3B **24**
Guildford Clo. *Ems* —2H **35**
Guildford Ct. *Gos* —2H **47**
Guildford Rd. *Ports* —1E **51**
(in three parts)
Guildhall Sq. *Ports*
—2C **50** (3F **5**)
Guildhall Wlk. *Ports*
—3C **50** (4E **5**)
Guillemot Gdns. *Gos* —2B **38**
Gull Clo. *Gos* —3B **38**
Gun Ho. *Ports* —3B **50** (4E **5**)
Gunners Bldgs. Ind. Est. *Ports*
—1B **42**
Gunners Row. *S'sea* —5H **51**
Gunners Way. *Gos* —5F **39**
Gunstore Rd. *Ports* —1C **42**
Gunwharf Quays. *Ports*
—3H **49** (4A **4**)
Gunwharf Rd. *Ports*
—3A **50** (5B **4**)
Gurnard Rd. *Ports* —4A **30**
Gurney Rd. *S'sea* —3H **51**
Gutner La. *Hay I* —4E **45**
Gwatkin Clo. *Hav* —6C **20**
Gypsy La. *Water* —2H **9**

***H**ackett Way. Fare* —5A **26**
(off Sharlands Rd.)
Haddon Clo. *Fare* —2G **25**
Hadleigh Rd. *Ports* —3H **29**

Haig Ct. *Ports* —2A **42**
Hale Ct. *Ports* —6A **42**
Halesowen Ho. *S'sea* —5F **5**
Hale St. N. *Ports* —1D **50**
Hale St. S. *Ports* —1D **50**
Half Moon St. *Ports*
—2A **50** (2B **4**)
Halfpenny La. *Ports*
—4A **50** (6C **4**)
Halifax Ri. *Water* —2H **19**
Hallett Rd. *Hav* —1H **33**
Halletts Clo. *Fare* —2E **37**
Halliards, The. *Fare* —4B **26**
Halliday Clo. *Gos* —2D **48**
Halliday Cres. *S'sea* —4A **52**
Hallowell Ho. *Ports* —1C **50**
Halsey Clo. *Gos* —4B **48**
Halstead Rd. *Ports* —3H **29**
Halyard Clo. *Gos* —6D **38**
Hamble Ct. *Fare* —2D **36**
Hambledon Pde. *Water* —5E **9**
Hambledon Rd. *Clan* —1E **7**
Hambledon Rd. *Den* —2B **8**
Hambledon Rd. *Water* —5E **9**
(in three parts)
Hamble Ho. *Fare* —4A **26**
Hamble La. *Water* —4G **19**
Hamble Rd. *Gos* —3B **48**
Hambrook Rd. *Gos* —1C **48**
Hambrook St. *S'sea*
—4B **50** (6E **5**)
Hamfield Dri. *Hay I* —3A **54**
Hamilton Clo. *Hav* —3F **33**
Hamilton Ct. *S'sea* —5C **50**
Hamilton Enterprise Cen. *Ports*
—4G **31**
Hamilton Gro. *Gos* —3B **38**
Hamilton Ho. Ports —1E **51**
(off Clive Rd.)
Hamilton Rd. *Cosh* —3C **28**
Hamilton Rd. *S'sea* —5D **50**
Ham La. *Cath* —5A **6**
Ham La. *Gos* —5G **39**
Ham La. *Prin* —4H **35**
Hamlet Way. *Gos* —4F **39**
Hammond Ct. *Gos* —3G **49**
Hammond Ind. Pk. *Fare*
—4F **37**
Hammond Rd. *Fare* —1F **25**
Hampage Grn. *Hav* —2D **20**
Hampshire St. *Ports* —6A **42**
Hampshire Ter. *Ports*
—3B **50** (5E **5**)
Hampton Clo. *Water* —2A **20**
Hampton Gro. *Fare* —3D **24**
Hanbidge Cres. *Gos* —1D **38**
Hanbidge Wlk. *Gos* —1D **38**
Handley Rd. *Gos* —1B **48**
Handsworth Ho. *S'sea*
—3D **50** (4H **5**)
Hannah Gdns. *Water* —1H **19**
Hannington Rd. *Hav* —2D **20**
Hanover Ct. *Ports*
—4A **50** (5C **4**)
Hanover Gdns. *Fare* —6B **14**
Hanover Ho. *Gos* —6B **38**
Hanover St. *Ports*
—2A **50** (2B **4**)
Hanway Rd. *Ports* —5A **42**
Ha'penny Dell. *Water* —6G **19**
Harbour Rd. *Gos* —2F **49**
Harbour Rd. *Hay I* —3G **53**
Harbourside. *Hav* —5F **33**
Harbour Tower. *Gos* —3G **49**
Harbour Vw. *Fare* —5A **28**
Harbour Way. *Ems* —3E **35**
Harbour Way. *Ports* —3G **41**
Harbridge Ct. *Hav* —2D **20**
Harcourt Clo. *Water* —3A **10**

Linnet Clo. *Water* —3G **9**
Linnet Ct. *Gos* —1B **48**
Linnets, The. *Fare* —3F **27**
Lion Ga. Building. *Ports*
—2B **50** (2D **4**)
Lion St. *Ports* —2B **50** (2D **4**)
(in two parts)
Lion Ter. *Ports* —2B **50** (3D **4**)
(in two parts)
Liphook Ho. *Hav* —4H **21**
Lisle Way. *Ems* —6C **22**
Liss Rd. *S'sea* —3F **51**
Lister Rd. *Ports* —3B **30**
Lith Av. *Horn* —5C **6**
Lith Cres. *Horn* —4C **6**
Lith La. *Horn* —5A **6**
(Catherington La.)
Lith La. *Horn* —4B **6**
(Lith Cres.)
Lit. Anglesey. *Gos* —5D **48**
Lit. Anglesey Rd. *Gos* —5C **48**
Lit. Arthur St. *Ports* —6A **42**
Little Clo. *Gos* —1C **38**
Lit. Coburg St. *Ports* —2D **50**
Lit. Corner. *Water* —4B **8**
Lit. Gays. *Fare* —3C **36**
Lit. George St. *Ports* —6A **42**
Little Grn. *Gos* —5C **48**
Littlegreen Av. *Hav* —5G **21**
Lit. Grn. Orchard. *Gos* —4C **48**
Lit. Hambrook St. *S'sea*
—4B **50** (6E **5**)
Little La. *Gos* —5C **48**
Lit. Mead. *Water* —4C **8**
Littlepark Av. *Hav* —6B **20**
Littlepark Ho. *Hav* —6A **20**
Lit. Southsea St. *S'sea*
—4B **50** (6E **5**)
Littleton Gro. *Hav* —5F **21**
Lit. Woodham La. *Gos* —2G **47**
Liverpool Ct. *Gos* —2H **47**
Liverpool Rd. *Fare* —5H **25**
Liverpool Rd. *Ports* —2E **51**
Livesay Gdns. *Ports* —1F **51**
Livingstone Ct. *Gos* —1H **47**
Livingstone Rd. *S'sea* —4D **50**
Lobelia Ct. *Water* —3A **20**
Locarno Rd. *Ports* —3C **42**
Lock App. *Port S* —4E **29**
Lockerley Rd. *Hav* —6G **21**
Locksheath Clo. *Hav* —3D **20**
Locksway Rd. *S'sea* —3H **51**
Lock Vw. *Port S* —4E **29**
Lodge Av. *Ports* —3C **30**
Lodgebury Clo. *Ems* —3H **35**
Lodge Gdns. *Gos* —4C **48**
Lodge Rd. *Hav* —2B **32**
Lodge, The. *Water* —3A **20**
Lodsworth Clo. *Water* —1D **6**
Lodsworth Ho. *Ports* —1D **50**
Lombard Ct. *Ports* —6C **4**
Lombard St. *Ports*
—4A **50** (6B **4**)
Lombardy Clo. *Gos* —3D **38**
Lombardy Ri. *Water* —4H **19**
Lomond Clo. *Ports* —5H **41**
Londesborough Rd. *S'sea*
—4E **51**
London Av. *Ports* —3H **41**
London Mall. *Ports* —3A **42**
London Rd. *Cosh & Water*
—3B **30**
London Rd. *Ports* —6A **30**
London Rd. *Water* —4D **6**
(in two parts)
Lone Valley. *Water* —6E **19**
Long Acre Ct. *Ports* —6A **42**
Longbridge Ho. *S'sea* —4E **5**
Long Copse La. *Ems* —5D **22**

Long Curtain Rd. *S'sea* —5A **50**
Longdean Clo. *Ports* —2E **29**
Long Dri. *Hav* —4C **38**
Longfield Av. *Fare* —4F **25**
Longfield Clo. *S'sea* —2A **52**
Longfield Rd. *Ems* —6C **22**
(in two parts)
Longlands Rd. *Ems* —3H **35**
Longmead Gdns. *Hav* —4F **27**
Longmynd Dri. *Fare* —3F **25**
Longshore Way. *S'sea* —3B **52**
Longs La. *Fare* —2F **37**
Longstaff Gdns. *Fare* —6H **13**
Longstock Rd. *Hav* —3H **21**
Longs Wlk. *Ports* —6H **41**
Long Water Dri. *Gos* —6E **49**
Longwood Av. *Water* —4H **9**
Lonsdale Av. *Fare* —5B **28**
Lonsdale Av. *Ports* —4C **30**
Lordington Clo. *Ports* —3D **30**
Lord Montgomery Way. *Ports*
—3B **50** (4E **5**)
Lords Ct. *Ports* —1D **50**
Lord's St. *Ports* —1D **50**
Loring Ho. *Ports* —1A **42**
Lorne Rd. *S'sea* —4E **51**
Louis Flagg Ho. *S'sea*
—3C **50** (5G **5**)
Lovage Way. *Water* —4C **6**
Lovatt Gro. *Fare* —6F **13**
Lovedean La. *Water* —4A **6**
Lovett Rd. *Ports* —2B **42**
Lowcay Rd. *S'sea* —5E **51**
Lwr. Bellfield. *Titch* —4B **24**
Lwr. Bere Wood. *Water*
—2H **19**
Lwr. Brookfield Rd. *Ports*
—1E **51**
Lwr. Church Path. *Ports*
—2C **50** (2G **5**)
Lwr. Derby Rd. *Ports* —4G **41**
Lwr. Drayton La. *Ports* —4E **31**
(in two parts)
Lwr. Farlington Rd. *Ports*
—3G **31**
Lwr. Forbury Rd. *S'sea*
—3D **50** (4H **5**)
Lwr. Grove Rd. *Hav* —2G **33**
Lwr. Quay. *Fare* —3B **26**
Lwr. Quay Clo. *Fare* —3B **26**
Lwr. Quay Rd. *Fare* —3B **26**
Lower Rd. *Hav* —2B **32**
Lwr. Tye Farm Cvn. Pk. *Hay I*
—4E **45**
Lwr. Wingfield St. *Ports*
—1D **50**
Lowestoft Rd. *Ports* —2H **29**
Lowland Rd. *Water* —3A **8**
Loxwood Rd. *Water* —1H **9**
Luard Ct. *Hav* —2H **33**
Lucerne Av. *Water* —5E **9**
Lucknow St. *Ports* —2E **51**
Ludcombe. *Water* —2B **8**
Ludlow Rd. *Ports* —2F **29**
Lugano Rd. *Water* —5F **9**
Lulworth Clo. *Hay I* —2C **54**
Lulworth Rd. *Lee S* —2C **46**
Lumley Gdns. *Ems* —2E **35**
Lumley Path. *Ems* —2E **35**
Lumley Rd. *Ems* —2E **35**
Lumsden Rd. *S'sea* —4B **52**
Lundy Wlk. *Fare* —2D **36**
Lutman St. *Ems* —5C **22**
Lychgate Dri. *Water* —5B **6**
Lychgate Grn. *Fare* —6E **25**
Lydney Clo. *Ports* —3G **29**
Lymbourn Rd. *Hav* —2G **33**
Lynden Clo. *Fare* —3D **24**
Lyndhurst Clo. *Hay I* —5C **54**

Lyndhurst Ho. *Hav* —3E **21**
Lyndhurst Rd. *Gos* —3C **48**
Lyndhurst Rd. *Ports* —3B **42**
Lyne Pl. *Water* —1B **10**
Lynn Rd. *Ports* —5B **42**
Lynton Gdns. *Fare* —6H **13**
Lynton Ga. *S'sea* —5C **50**
Lynton Gro. *Ports* —5C **42**
Lynwood Av. *Water* —4F **9**
Lysander Way. *Water* —1A **20**
Lysses Ct. *Fare* —2C **26**
Lysses Path. *Fare* —2C **26**

Mabey Clo. *Gos* —5E **49**
Mablethorpe Rd. *Ports* —2A **30**
Macaulay Av. *Ports* —2D **28**
Madden Clo. *Gos* —4B **48**
Madeira Rd. *Ports* —2A **42**
Madeira Wlk. *Hay I* —4B **54**
Madison Clo. *Gos* —5D **38**
Madison Ct. *Fare* —2C **26**
Mafeking Rd. *S'sea* —4F **51**
Magdala Rd. *Cosh* —4B **30**
Magdala Rd. *Hay I* —4A **54**
Magdalen Ct. *Ports* —2A **42**
Magdalen Rd. *Ports* —2H **41**
Magennis Clo. *Gos* —6D **38**
Magenta Ct. *Gos* —1G **47**
Magnolia Clo. *Fare* —3G **25**
Magnolia Way. *Water* —3C **10**
Magpie Clo. *Fare* —3E **27**
Magpie La. *Lee S* —6H **37**
Magpie Rd. *Hav* —2H **11**
Magpie Wlk. *Water* —3G **11**
(Broad Wlk.)
Magpie Wlk. *Water* —3F **9**
(Eagle Av.)
Maidford Gro. *Ports* —1E **43**
Maidstone Cres. *Ports* —2A **30**
Main Dri. *S'wick* —3E **17**
Main Rd. *Ems* —3E **35**
Main Rd. *Gos* —1D **38**
Main Rd. *Navy* —1H **49** (1A **4**)
Mainsail Dri. *Fare* —3B **26**
Maisemore Gdns. *Ems* —4B **34**
Maitland St. *Ports* —6H **41**
Maizemore Wlk. *Lee S* —1D **46**
Malcolm Ho. *Ports* —1B **42**
Maldon Rd. *Ports* —3H **29**
Malin Clo. *Fare* —2D **36**
Malins Rd. *Ports* —6H **41**
Mallard Gdns. *Gos* —3B **38**
Mallard Rd. *Row C* —6H **11**
Mallard Rd. *Ports* —2H **51**
Mallards, The. *Fare* —6A **14**
Mallards, The. *Hav* —4E **33**
Mallory Cres. *Fare* —6A **14**
Mallow Clo. *Ports* —3B **30**
Mallow Clo. *Water* —3H **19**
Mall, The. *Ports* —4H **41**
Malmesbury Lawn. *Hav*
—3C **20**
Malta Rd. *Ports* —5A **42**
Malthouse La. *Fare* —2B **26**
Malthouse Rd. *Ports* —5H **41**
Maltings, The. *Fare* —1D **26**
Malus Clo. *Fare* —4H **25**
Malvern Av. *Fare* —4G **25**
Malvern M. *Ems* —2D **34**
Malvern Rd. *Gos* —2B **48**
Malvern Rd. *S'sea* —6D **50**
Malwood Clo. *Hav* —3G **21**
Manchester Ct. *Gos* —2H **47**
Manchester Rd. *Ports* —2E **51**
Mancroft Av. *Fare* —3E **37**
Mandarin Way. *Gos* —1G **47**
Manners La. *S'sea* —3E **51**
Manners Rd. *S'sea* —3E **51**

Manor Clo. *Hav* —2F **33**
Manor Cres. *Ports* —4D **30**
Manor Gdns. *Ems* —2H **35**
Mnr. Lodge Rd. *Row C* —5G **11**
Manor M. *Ports* —3E **31**
Mnr. Park Av. *Ports* —5C **42**
Manor Rd. *Ems* —2H **35**
Manor Rd. *Hay I* —3A **54**
Manor Rd. *Ports* —6A **42**
Manor Vs. *Wick* —2A **14**
Manor Way. *Ems* —2H **35**
Manor Way. *Hay I* —5C **54**
Manor Way. *Lee S* —1C **46**
Mansfield Rd. *Gos* —5C **38**
Mansion Ct. *S'sea* —6E **51**
Mansion Rd. *S'sea* —6E **51**
Mansvid Av. *Ports* —4D **30**
Mantle Clo. *Gos* —6D **38**
Mantle Sq. *Ports* —3F **41**
Maple Clo. *Ems* —1D **34**
Maple Clo. *Fare* —2E **25**
Maple Clo. *Lee S* —2E **47**
Maple Cres. *Water* —1G **7**
Maple Dri. *Water* —3C **8**
Maple Rd. *S'sea* —5D **50**
Mapletree Av. *Water* —2C **10**
Maple Wood. *Hav* —2B **32**
Maralyn Av. *Water* —3G **19**
Marchesi Ct. *Fare* —1E **37**
Marchwood Ct. *Gos* —4H **47**
(off Broadsands Dri.)
Marchwood Rd. *Hav* —3E **21**
Margaret Clo. *Water* —6F **9**
Margarita Rd. *Fare* —1G **25**
Margate Rd. *S'sea*
—3D **50** (5G **5**)
Margery's Ct. *Ports*
—2A **50** (3C **4**)
Marigold Clo. *Fare* —1G **25**
Marina Bldgs. *Gos* —3D **48**
(off Stoke Rd.)
Marina Clo. *Ems* —4E **35**
Marina Gro. *Fare* —4A **28**
Marina Gro. *Ports* —6D **42**
Marina Keep. *Port S* —5E **29**
Marine Cotts. *Gos* —2D **48**
Marine Ct. *S'sea* —5G **51**
Marine Pde. E. *Lee S* —2C **46**
Marine Pde. W. *Lee S* —6F **37**
Mariners Wlk. *S'sea* —2H **51**
Mariners Way. *Gos* —4F **49**
Marine Wlk. *Hay I* —4E **55**
Marion Rd. *S'sea* —6E **51**
Marjoram Cres. *Water* —4B **10**
Marjoram Way. *White* —2A **12**
Mark Anthony Ct. *Hay I*
—4A **54**
Mark Clo. *Ports* —1B **42**
Mark Ct. *Water* —1G **19**
Market Pde. *Hav* —2F **33**
Marketway. *Ports*
—1C **50** (1F **5**)
Mark's Rd. *Fare* —3G **37**
Marks Tey Rd. *Fare* —6E **25**
Markway Clo. *Ems* —2B **34**
Marlands Lawn. *Hav* —3C **20**
Marlborough Clo. *Water*
—4F **19**
Marlborough Gro. *Fare* —4A **28**
Marlborough Pk. *Hav* —6H **21**
Marlborough Rd. *Gos* —1B **48**
Marlborough Row. *Ports*
—1A **50** (1B **4**)
Marldell Clo. *Hav* —4G **21**
Marles Clo. *Gos* —5D **38**
Marlin Clo. *Gos* —1H **47**
Marlow Clo. *Fare* —5G **13**
Marlowe Ct. *Water* —6F **9**
Marmion Av. *S'sea* —5D **50**

Marmion Rd. *S'sea* —5C **50**
Marne Ho. *Fare* —3G **25**
Marples Way. *Hav* —2D **32**
Marrels Wood Gdns. *Pur*
—5E **19**
Marsden Rd. *Ports* —3F **29**
Marshall Rd. *Hay I* —5E **55**
Marsh Clo. *Ports* —5E **31**
Marshfield Ho. *Ports* —4F **31**
Marshlands Rd. *Ports* —4F **31**
Marshlands Spur. *Ports*
—4G **31**
Marsh La. *Fare* —3C **36**
Marshwood Av. *Water* —2A **20**
Marston La. *Ports* —1D **42**
Martello Clo. *Gos* —4H **47**
Martells Ct. *Ports*
—3A **50** (5C **4**)
Martin Av. *Fare* —3F **37**
Martin Av. *Water* —3C **8**
Martin Clo. *Lee S* —6H **37**
Martin Rd. *Fare* —3F **37**
Martin Rd. *Hav* —5G **21**
Martin Rd. *Ports* —5C **42**
Marvic Ct. *Hav* —3E **21**
Mary Rose Clo. *Fare* —6G **13**
Mary Rose St., The. *Ports*
—2C **50** (3F **5**)
Masefield Av. *Ports* —2D **28**
Masefield Cres. *Water* —4H **9**
Masten Cres. *Gos* —5C **38**
Matapan Rd. *Ports* —1H **41**
Matthews Clo. *Hav* —6C **20**
Maurice Rd. *S'sea* —3A **52**
Mavis Cres. *Hav* —1F **33**
Maxstoke Clo. *S'sea*
—2D **50** (3H **5**)
Maxwell Rd. *S'sea* —4G **51**
Maydman Sq. *Ports* —1G **51**
Mayfield Clo. *Fare* —2F **37**
Mayfield Rd. *Gos* —4E **49**
Mayfield Rd. *Ports* —3A **42**
Mayflower Clo. *Fare* —4E **37**
Mayflower Dri. *S'sea* —2A **52**
Mayhall Rd. *Ports* —4C **42**
Maylands Av. *S'sea* —2G **51**
Maylands Rd. *Hav* —1B **32**
Mayles Clo. *Wick* —2A **14**
Mayles Rd. *S'sea* —2H **51**
Maylings Farm Rd. *Fare*
—6H **13**
Maynard Clo. *Gos* —1C **38**
Maynard Pl. *Water* —6B **6**
Mayo Clo. *Ports* —6H **41**
May's La. *Fare* —2E **37**
Maytree Gdns. *Water* —4G **9**
Maytree Rd. *Cowp* —4G **9**
Maytree Rd. *Fare* —2A **26**
Meadend Clo. *Hav* —4H **17**
Mead End Rd. *Water* —4C **8**
Meadowbank Rd. *Fare* —2F **25**
Meadow Clo. *Hay I* —3A **54**
Meadow Ct. *Ems* —3D **34**
Meadow Edge. *Water* —1D **30**
Meadowlands. *Hav* —2G **33**
Meadowlands. *Row C* —4H **11**
Meadow Ri. *Water* —4B **10**
Meadows, The. *Fare* —6C **14**
Meadows, The. *Water* —1E **19**
Meadow St. *S'sea*
—4B **50** (6E **5**)
Meadowsweet. *Water* —6B **10**
Meadowsweet Way. *Ports*
—2H **29**
Meadow, The. *Water* —3B **8**
Meadow Wlk. *Gos* —6B **26**
Meadow Wlk. *Ports*
—1C **50** (1F **5**)
Mead, The. *Gos* —2B **38**

Mead Way. *Fare* —6B **14**
Meadway. *Water* —6A **10**
Meath Clo. *Hay I* —6E **55**
Medina Ct. *Lee S* —6F **37**
Medina Ho. *Fare* —4A **26**
Medina Rd. *Ports* —3H **29**
Medstead Rd. *Hav* —6F **21**
Megan Ct. *Ports* —4B **30**
Melbourne Ho. *Ports*
—1C **50** (2G **5**)
Melbourne Pl. *S'sea*
—3B **50** (4E **5**)
Mellor Clo. *Ports* —3H **29**
Melrose Clo. *S'sea* —3H **51**
Melrose Gdns. *Gos* —6F **39**
Melville Rd. *Gos* —6G **39**
Melville Rd. *S'sea* —5B **52**
Melvin Jones Ho. *Fare* —1E **37**
Memorial Sq. *Ports*
—2C **50** (3F **5**)
Mendips Rd. *Fare* —3G **25**
Mendips Wlk. *Fare* —3F **25**
Mengham Av. *Hay I* —5C **54**
Mengham Ct. *Hay I* —4D **54**
Mengham La. *Hay I* —4C **54**
Mengham Rd. *Hay I* —4C **54**
Menin Ho. *Fare* —1E **25**
Meon Clo. *Gos* —3B **38**
Meon Clo. *Water* —1D **6**
Meon Ho. *Fare* —4A **26**
Meon Rd. *Fare* —1A **36**
Meon Rd. *S'sea* —3G **51**
Meonside Ct. *Wick* —2A **14**
Merchants Row. *Ports*
—4A **50** (6B **4**)
(off White Hart Rd.)
Merchistoun Rd. *Water* —6B **6**
Mercury Pl. *Water* —1G **31**
Mere Cft. *Fare* —6A **12**
Meredith Rd. *Ports* —2A **42**
Merganser Clo. *Gos* —6H **39**
Meriden Rd. *S'sea*
—3B **50** (4E **5**)
Meridian Cen. *Hav* —2F **33**
Merlin Dri. *Ports* —1C **42**
Merlin Gdns. *Fare* —2H **27**
Mermaid Rd. *Fare* —6H **25**
Merrivale Ct. *Ems* —2H **35**
Merrivale Rd. *Ports* —2A **42**
Merrow Clo. *Fare* —3G **27**
Merryfield Av. *Hav* —4D **20**
Merstone Rd. *Gos* —3C **38**
Merthyr Av. *Ports* —2D **30**
Merton Av. *Fare* —5B **28**
Merton Ct. *S'sea* —4D **50**
Merton Cres. *Fare* —5A **28**
Merton Rd. *S'sea* —4C **50**
Meryl Rd. *S'sea* —3A **52**
Methuen Rd. *S'sea* —4G **51**
Mewsey Ct. *Hav* —2D **20**
Mews, The. *Gos* —3G **49**
Mews, The. *Hav* —5E **21**
Mews, The. *Ports* —1E **51**
(off Clive Rd.)
Mews, The. *S'sea* —5D **50**
(off Collingwood Rd.)
Mey Clo. *Water* —2A **20**
Meyrick Rd. *Hav* —2D **32**
Meyrick Rd. *Ports* —4G **41**
Micawber Ho. *Ports* —6H **41**
Michael Crook Clo. *Hav*
—6C **20**
Midas Clo. *Water* —5H **19**
Middle Clo. *Ports* —6A **42**
(off Inverness Rd.)
Middlecroft La. *Gos* —1B **48**
Middle Mead. *Fare* —3D **24**
Middle Pk. Way. *Hav* —5D **20**
Middlesex Rd. *S'sea* —4H **51**

Middle St. *S'sea* —3C **50** (4F **5**)
Middleton Clo. *Fare* —4G **25**
Middleton Ri. *Water* —1D **6**
Middleton Wlk. *Fare* —4G **25**
Midfield Clo. *Fare* —4H **25**
Midhurst Ho. *Ports* —1D **50**
Midway Rd. *Ports* —6A **30**
Midways. *Fare* —4E **37**
Milbeck Clo. *Water* —4A **10**
Milebush Rd. *S'sea* —2A **52**
Mile End Rd. *Ports* —6G **41**
Milford Clo. *Hav* —6D **20**
Milford Ct. *Gos* —4H **47**
Milford Ct. *S'sea* —3H **51**
Milford Rd. *Ports*
—2D **50** (2H **5**)
Military Rd. *Fare* —1D **26**
Military Rd. *Gos* —6C **48**
(Fort Rd., in three parts)
Military Rd. *Gos* —3A **48**
(Gomer La.)
Military Rd. *Gos* —3G **39**
(Gunners Way)
Military Rd. *Gos* —4G **47**
(PO13)
Military Rd. *Hils* —6B **30**
Military Rd. *Navy* —1B **50**
Military Rd. *Ports* —2E **31**
Milk La. *Water* —3E **19**
Millam Ct. *Hay I* —3A **54**
Millbrook Dri. *Hav* —3G **21**
Mill Clo. *Hay I* —3B **44**
Mill Clo. *Water* —3D **8**
Milldam. *Ports* —2B **50** (3D **4**)
Mill End. *Ems* —3E **35**
Millennium Clo. *Water* —4G **19**
Millennium Ct. *Water* —4G **19**
Miller Dri. *Fare* —6H **13**
(in two parts)
Mill Ga. Ho. *Ports*
—2A **50** (3C **4**)
(off St George's Sq.)
Mill La. *Ems* —2E **35**
Mill La. *Gos* —1D **48**
Mill La. *Hav* —2C **32**
Mill La. *Lang* —4E **33**
Mill La. *Ports* —6G **41**
Mill La. *Titch* —2C **24**
Mill La. *Water* —1A **30**
Mill Pond Rd. *Gos* —1D **48**
Mill Quay. *Ems* —4E **35**
Mill Rd. *Ems* —5F **23**
Mill Rd. *Fare* —3A **26**
Mill Rd. *Gos* —1C **48**
Mill Rd. *Water* —3F **19**
(London Rd.)
Mill Rd. *Water* —3C **8**
(Mead End Rd.)
Mill Rythe Holiday Village.
Hay I —1E **55**
Mill Rythe La. *Hay I* —6C **44**
Mills Rd. *Ports* —4H **41**
Mill St. *Titch* —3C **24**
Milton Ct. *S'sea* —2G **51**
Milton La. *S'sea* —2F **51**
Milton Locks. *S'sea* —3B **52**
Milton Pde. *Cowp* —5G **9**
Milton Pk. Av. *S'sea* —3H **51**
Milton Rd. *Ports & S'sea*
—1G **51**
Milton Rd. *Water & Cowp*
—6F **9**
Milverton Ho. *S'sea*
—3C **50** (5G **5**)
Milvil Ct. *Lee S* —1C **46**
Milvil Rd. *Lee S* —1C **46**
Mimosa Clo. *Fare* —6A **12**
Minden Ho. *Fare* —3H **25**
Minerva Clo. *Water* —1G **31**

Minerva Dri. *Gos* —6A **40**
Minley Ct. *Hav* —4H **21**
Minnitt Rd. *Gos* —3G **49**
Minstead Rd. *S'sea* —4H **51**
Minster Clo. *Fare* —1E **25**
Minter's Lepe. *Water* —6G **19**
Mission La. *Water* —4A **10**
Mitchell Rd. *Hav* —6B **20**
Mitchell Way. *Ports* —2D **42**
Mizen Way. *Gos* —1H **47**
Mizzen Ho. *Port S* —4E **29**
Moat Ct. *Gos* —4H **47**
Moat Dri. *Gos* —4H **47**
Moat Wlk. *Gos* —4H **47**
Mole Hill. *Water* —4H **19**
Molesworth Rd. *Gos* —3E **49**
(in two parts)
Monarch Clo. *Water* —2A **20**
Monckton Rd. *Gos* —6D **48**
Monckton Rd. *Ports* —3C **42**
Moneyfield Av. *Ports* —5C **42**
Moneyfield La. *Ports* —5C **42**
Moneyfield Path. *Ports* —4D **42**
Monks Hill. *Ems* —3E **23**
Monks Hill. *Fare* —5E **37**
Monks Way. *Fare* —4D **36**
Monkwood Clo. *Hav* —4D **20**
Monmouth Rd. *Ports* —3H **41**
Monroe Clo. *Gos* —4A **48**
Monson Ho. *Ports* —1E **51**
Montague Rd. *Ports* —4A **42**
Montague Wallis Ct. *Ports*
—2A **50** (3C **4**)
Montana Ct. *Water* —3H **19**
Monterey Dri. *Hav* —5G **21**
Montgomerie Rd. *S'sea*
—3D **50** (4H **5**)
Montgomery Rd. *Gos* —1C **38**
Montgomery Rd. *Hav* —2G **33**
Montgomery Wlk. *Water*
—4F **19**
Montrose Av. *Fare* —2C **28**
Montserrat Rd. *Lee S* —1C **46**
Monument La. *Fare* —4H **15**
Monxton Grn. *Hav* —3H **21**
Moody Rd. *Fare* —4D **36**
Moore Gdns. *Gos* —3B **48**
Moorgreen Rd. *Hav* —4G **21**
Moorings, The. *Fare* —4B **26**
Moorings Way. *S'sea* —2H **51**
Moorland Rd. *Ports* —1E **51**
Moor Pk. *Water* —5B **10**
Moortown Av. *Ports* —2E **31**
Moraunt Clo. *Gos* —5A **40**
Moraunt Dri. *Fare* —4H **27**
Morcumb Pk. Homes. *Ems*
—3F **35**
Morecombe Ct. *S'sea*
—3D **50** (4H **5**)
Moreland Rd. *Gos* —2D **48**
Morelands Ct. *Water* —5H **19**
Morelands Rd. *Water* —5G **19**
Moresby Ct. *Fare* —2B **26**
Morgan Rd. *S'sea* —3A **52**
Morgan's Dri. *Fare* —6E **25**
Morley Cres. *Water* —4A **10**
Morley Rd. *S'sea* —5G **51**
Morningside Av. *Fare* —2C **28**
Morris Clo. *Gos* —6B **26**
Morshead Cres. *Fare* —6H **13**
Mortimer Lawn. *Hav* —2D **20**
Mortimer Rd. *Ports* —2G **29**
Mortimore Rd. *Gos* —1B **48**
Mosdell Rd. *Ems* —3H **35**
Moulin Av. *S'sea* —5E **51**
Mound Clo. *Gos* —4C **48**
Mountbatten Clo. *Gos* —1C **38**
Mountbatten Dri. *Water*
—3E **19**

Mountbatten Ho. *Navy*
—1A **50** (1B **4**)
Mountbatten Sq. *S'sea* —5H **51**
Mount Dri. *Fare* —3D **24**
Mountjoy Ct. *Ports*
—4A **50** (6B **4**)
Mt. Pleasant Rd. *Gos* —5D **48**
Mount, The. *Gos* —4D **38**
Mountview Av. *Fare* —2C **28**
Mountwood Rd. *S'brne*
—2H **35**
Mousehole Rd. *Ports* —2D **28**
Muccleshell Clo. *Hav* —5G **21**
Mulberry Av. *Fare* —4E **37**
Mulberry Av. *Ports* —3C **30**
Mulberry Clo. *Gos* —3D **48**
Mulberry La. *Ports* —4C **30**
Mulberry Path. *Ports* —4C **30**
Mullion Clo. *Port S* —4F **29**
Mumby Rd. *Gos* —2E **49**
Mundays Row. *Water* —4C **6**
Munster Rd. *Ports* —3H **41**
Murefield Rd. *Ports* —2D **50**
Muriel Rd. *Water* —1G **25**
Murray Clo. *Fare* —1G **25**
Murray Rd. *Water* —1B **10**
Murray's La. *Ports* —1H **49**
Murrell Grn. *Hav* —4H **21**
Murrills Est. *Fare* —3C **28**
Muscliffe Ct. *Hav* —4H **21**
Museum Rd. *Ports*
—3B **50** (5D **4**)
My Lord's La. *Hay I* —4D **54**
Myrtle Av. *Fare* —4B **28**
Myrtle Clo. *Gos* —2C **38**
Myrtle Gro. *Ports* —6D **42**

Nailsworth Rd. *Ports* —2F **29**
Naish Ct. *Hav* —2C **20**
Naish Dri. *Gos* —4G **39**
Nancy Rd. *Ports* —2E **51**
Napier Clo. *Gos* —2H **47**
Napier Cres. *Fare* —2E **25**
Napier Rd. *S'sea* —5D **50**
Napier Rd. *Water* —1C **10**
Narvik Rd. *Ports* —1H **41**
Naseby Clo. *Ports* —2E **29**
Nashe Clo. *Fare* —6F **13**
Nashe Ho. *Fare* —6E **13**
Nashe Way. *Fare* —6E **13**
Nasmith Clo. *Gos* —3A **48**
Nat Gonella Sq. *Gos* —3F **49**
(off Walpole Rd.)
Navy Rd. *Ports* —1A **50**
Needles Ho. *Fare* —4A **26**
Neelands Gro. *Ports* —3C **28**
Nelson Av. *Fare* —4H **27**
Nelson Av. *Ports* —3H **41**
Nelson Ct. *Fare* —5H **25**
Nelson Cres. *Water* —6C **6**
Nelson Ho. *Gos* —3G **49**
(off South St.)
Nelson La. *Fare* —6A **16**
Nelson Rd. *Gos* —3D **48**
Nelson Rd. *Ports* —6H **41**
Nelson Rd. *S'sea* —4C **50**
Nepean Clo. *Gos* —6D **48**
Neptune Ct. *Gos* —3D **38**
Neptune Rd. *Fare* —6H **25**
(PO14)
Neptune Rd. *Fare* —1E **25**
(PO15)
Nerissa Clo. *Water* —1A **20**
Nesbitt Clo. *Gos* —2B **38**
Nessus St. *Ports* —5H **41**
Nest Bus. Pk. *Hav* —5H **21**
Netherfield Clo. *Hav* —2G **33**
Netherton Rd. *Gos* —6F **39**

Netley Pl. *S'sea* —5C **50**
(off Netley Ter.)
Netley Rd. *S'sea* —5C **50**
Netley Ter. *S'sea* —5C **50**
Nettlecombe Av. *S'sea* —6E **51**
Nettlestone Rd. *S'sea* —5G **51**
Neville Av. *Fare* —5B **28**
Neville Ct. *Gos* —2D **48**
Neville Gdns. *Ems* —6C **22**
Neville Rd. *Ports* —6C **42**
Nevil Shute Rd. *Ports* —2C **42**
Newbarn Rd. *Hav* —6B **20**
Newbolt Clo. *Water* —4G **9**
Newbolt Rd. *Ports* —2C **28**
New Brighton Rd. *Ems* —2D **34**
Newbroke Rd. *Gos* —5D **38**
Newcomen Ct. *Ports* —3G **41**
Newcomen Rd. *Ports* —3G **41**
Newcome Rd. *Ports* —1E **51**
New Cut. *Hay I* —2B **44**
New Down La. *Pur* —1C **30**
Newgate La. *Fare* —2A **38**
Newgate La. Ind. Est. *Fare*
(in two parts) —5B **26**
Newlands. *Fare* —2E **25**
Newlands. *Water* —5B **8**
Newlands Av. *Gos* —3C **48**
Newlands Rd. *Water* —4F **19**
New La. *Hav* —1G **33**
Newlease Rd. *Water* —4H **19**
Newlyn Way. *Port S* —4E **29**
Newmer Ct. *Hav* —3C **20**
Newney Clo. *Ports* —1B **42**
Newnham Ct. *Hav* —4H **21**
New Pde. *Fare* —3B **28**
Newport Rd. *Gos* —2B **48**
New Rd. *Ems* —3H **35**
New Rd. *Fare* —2A **26**
New Rd. *Hav* —1D **32**
New Rd. *Ports* —6A **42**
New Rd. *Water* —1C **6**
(off Drift Rd.)
New Rd. *Water* —1G **9**
(off Lovedean La.)
New Rd. *Westb* —6F **23**
New Rd. E. *S'sea* —5B **42**
Newton Clo. *Fare* —1E **37**
Newton Pl. *Lee S* —6G **37**
New Town. *Portc* —3B **28**
Newtown La. *Hay I* —3A **54**
Nicholas Ct. *Hay I* —4A **54**
Nicholas Ct. *Lee S* —2C **46**
Nicholas Cres. *Fare* —1H **25**
Nicholl Pl. *Gos* —3C **38**
Nicholson Gdns. *Ports* —2H **5**
Nicholson Way. *Hav* —6E **21**
Nickel St. *S'sea* —4B **50** (6E **5**)
Nickleby Ho. *Ports* —6H **41**
Nickleby Rd. *Fare* —1F **7**
Nightingale Clo. *Gos* —1B **48**
Nightingale Clo. *Row C*
—6G **11**
Nightingale Pk. *Hav* —2H **33**
Nightingale Rd. *Ports* —2B **30**
Nightingale Rd. *S'sea* —5B **50**
Nightjar Clo. *Water* —6A **6**
Nile St. *Ems* —3D **34**
Nimrod Dri. *Gos* —1H **47**
(in two parts)
Nine Elms La. *Fare* —5D **14**
Ninian Pk. Rd. *Ports* —3C **42**
Ninian Path. *Ports* —3C **42**
Niton Clo. *Gos* —3C **38**
Nobbs La. *Ports*
—3A **50** (5C **4**)
Nobes Av. *Gos* —2C **38**
Nobes Clo. *Gos* —3D **38**
Nook, The. *Gos* —4D **38**
Nore Cres. *Ems* —2B **34**

Nore Farm Av. *Ems* —2B **34**
Norfolk Cres. *Hay I* —5H **53**
Norfolk Ho. *Hav* —2G **33**
Norfolk M. *Hay I* —4A **54**
Norfolk Rd. *Gos* —6F **39**
Norfolk St. *S'sea*
—4C **50** (6F **5**)
Norgett Way. *Fare* —5H **27**
Norland Rd. *S'sea* —4E **51**
Norley Clo. *Hav* —4E **21**
Norman Clo. *Fare* —5B **28**
Norman Ct. *S'sea* —5E **51**
Normandy Ct. *Wick* —1B **14**
Normandy Gdns. *Gos* —3B **48**
Normandy Rd. *Ports* —1H **41**
Norman Rd. *Gos* —2C **48**
Norman Rd. *Hay I* —5D **54**
Norman Rd. *S'sea* —4E **51**
Norman Way. *Hav* —1C **32**
Norris Gdns. *Hav* —3G **33**
Norset Rd. *Fare* —1E **25**
Northam M. *Ports*
—2D **50** (2H **5**)
Northam St. *Ports*
—1D **50** (1H **5**)
Northarbour Rd. *Ports* —3G **29**
Northarbour Spur. *Ports*
—3H **29**
North Av. *Ports* —6A **30**
N. Battery Rd. *Ports* —3F **41**
Northbrook Clo. *Ports* —6H **41**
North Clo. *Gos* —3B **48**
North Clo. *Hav* —3G **33**
Northcote Rd. *S'sea* —4E **51**
Northcott Clo. *Gos* —4B **48**
North Ct. *Ports* —6A **42**
North Cres. *Hay I* —4D **54**
Northcroft Rd. *Gos* —1B **48**
N. Cross St. *Gos* —3F **49**
North Dri. *S'wick* —3D **16**
N. End Av. *Ports* —3H **41**
N. End Gro. *Ports* —3H **41**
Northern Pde. *Ports* —2H **41**
Northern Rd. *Ports* —5B **30**
Northesk Ho. *Ports* —1D **50**
Northfield Av. *Fare* —4H **25**
Northfield Cvn. Pk. *Fare*
—1H **27**
Northfield Clo. *Water* —3C **6**
Northfield Pk. *Fare* —2H **27**
Northgate Av. *Ports* —5B **42**
N. Grove Ho. *S'sea*
—4D **50** (6H **5**)
N. Harbour Bus. Pk. *Ports*
—4G **29**
North Hill. *Fare* —6B **14**
North Hill. *S'wick* —1F **29**
North La. *Water* —1F **7**
Northney La. *Hay I* —1E **45**
Northney Rd. *Hay I* —1G **33**
Northover Rd. *Ports* —5D **42**
N. Park Bus. Cen. *Know*
—1F **13**
North Rd. *S'wick* —1E **29**
North Rd. *Water* —3C **6**
North Rd. E. *S'wick* —3E **17**
North Rd. W. *S'wick* —3E **17**
N. Shore Rd. *Hay I* —3H **53**
North St. *Bed* —1D **32**
North St. *Ems* —2D **34**
North St. *Gos* —3F **49**
(in two parts)
North St. *Hav* —2F **33**
North St. *Ports* —1D **50**
(Cornwallis Cres.)
North St. *Ports* —2A **50** (2C **4**)
(Prince George St.)
North St. *Westb* —4F **23**
North St. Arc. *Hav* —2F **33**

Northumberland Rd. *S'sea*
—3E **51**
N. Wallington. *Fare* —1C **26**
North Way. *Gos* —1C **38**
North Way. *Hav* —2E **33**
Northway. *Titch* —6A **12**
Northways. *Stub* —3F **37**
Northwood La. *Hay I* —4C **44**
Northwood Rd. *Ports* —1A **42**
Northwood Sq. *Fare* —1B **26**
Norton Clo. *S'wick* —3D **16**
Norton Clo. *Water* —2F **19**
Norton Dri. *Fare* —6A **14**
Norton Rd. *S'wick* —3D **16**
Norway Rd. *Ports* —1B **42**
Norwich Pl. *Lee S* —6G **37**
Norwich Rd. *Ports* —2H **29**
Nottingham Pl. *Lee S* —6G **37**
Novello Gdns. *Water* —3G **19**
Nuffield Cen. *Ports*
—3B **50** (4D **4**)
Nursery Clo. *Ems* —6D **22**
Nursery Clo. *Gos* —2B **38**
Nursery Gdns. *Water* —2A **10**
Nursery La. *Fare* —3E **37**
Nursery Rd. *Hav* —1C **32**
Nursling Cres. *Hav* —4G **21**
Nutbourne Ho. *Ports* —4F **31**
Nutbourne Rd. *Hay I* —5G **55**
Nutbourne Rd. *Ports* —4F **31**
Nutfield Pl. *Ports* —1D **50**
Nuthatch Clo. *Row C* —6H **11**
Nutley Rd. *Hav* —4D **20**
Nutwick Rd. *Hav* —4H **21**
Nyewood Av. *Fare* —2B **28**
Nyria Way. *Gos* —3F **49**

Oakapple Gdns. *Ports*
—3G **31**
Oak Clo. *Water* —5G **9**
Oak Ct. *Fare* —1E **25**
Oakcroft La. *Fare* —6E **25**
Oakdene. *Gos* —4D **38**
Oakdown Rd. *Fare* —2F **37**
Oakes, The. *Fare* —1D **36**
Oakfield Ct. *Hav* —4H **21**
Oakhurst Dri. *Water* —1A **20**
Oakhurst Gdns. *Water* —1D **30**
Oaklands Gro. *Water* —4F **9**
Oaklands Rd. *Hav* —2G **33**
Oaklea Clo. *Water* —1D **30**
Oakley Ho. *S'sea*
—4C **50** (6F **5**)
Oakley Rd. *Hav* —4D **20**
Oak Mdw. Clo. *Ems* —6E **23**
Oakmont Dri. *Water* —5H **9**
Oak Pk. Dri. *Hav* —6G **21**
Oak Rd. *Fare* —1F **25**
Oak Rd. *Water* —2G **7**
Oaks Coppice. *Water* —1A **10**
Oakshott Dri. *Hav* —4G **21**
Oak St. *Gos* —3E **49**
Oak Thorn Clo. *Gos* —1G **47**
Oak Tree Dri. *Ems* —5C **22**
Oakum Ho. *Ports* —1G **51**
Oakwood Av. *Hav* —6B **20**
Oakwood Cen., The. *Hav*
—5H **21**
Oakwood Rd. *Hay I* —4B **54**
Oakwood Rd. *Ports* —1A **42**
Oberon Clo. *Water* —1A **20**
Occupation La. *Fare* —3A **24**
Ocean Clo. *Fare* —1F **25**
Ocean Ct. *Hay I* —5A **54**
Ocean Pk. *Ports* —4D **42**
Ocean Rd. *Fare* —1E **25**
Ockendon Clo. *S'sea*
—3C **50** (5F **5**)

St Edmondsbury Ct. Gos
(off Anson Clo.) —2H **47**
St Edward's Rd. Gos —3D **48**
St Edwards Rd. S'sea —4C **50**
St Edwards Ter. Gos —1C **48**
St Faith's Clo. Gos —2C **48**
St Faith's Rd. Ports
—1D **50** (1H **5**)
St Francis Ct. Ports —1A **42**
St Francis Pl. Hav —6E **21**
St Francis Rd. Gos —6E **49**
St Georges Av. Hav —2H **33**
St Francis Pl. Hav —6E **21**
St George's Bus. Cen. Ports
—2A **50** (3C **4**)
St George's Ct. Fare —3B **26**
St George's Ct. S'sea —4B **50**
St George's Ind. Cen. S'sea
—2G **51**
St George's Rd. Cosh —3B **30**
St George's Rd. Hay I —4H **53**
St George's Rd. Ports
—3A **50** (4C **4**)
St George's Rd. S'sea —5G **51**
St George's Sq. Ports
—2A **50** (3C **4**)
St George's Wlk. Water
(off Hambledon Rd.) —2G **19**
St George's Way. Ports
—2A **50** (3C **4**)
St Giles Way. Water —3C **6**
St Helen's Clo. S'sea —5F **51**
St Helen's Ct. S'sea —6E **51**
(off St Helen's Pde.)
St Helens Ho. Fare —3E **25**
St Hellen's Rd. Ports —3F **31**
St Herman's Cvn. Est. Hay I
—5E **55**
St Herman's Rd. Hay I —5E **55**
St Hilda Av. Water —3C **6**
St Hubert Rd. Water —3C **6**
St James Clo. Water —1C **6**
St James' Rd. Ems —3D **34**
St James's Rd. S'sea
—3C **50** (5F **5**)
St James's St. Ports
—2B **50** (2D **4**)
St James Way. Fare —3A **28**
St John's Av. Water —5G **19**
St John's Clo. Gos —2D **48**
St Johns Clo. Hay I —5A **54**
St John's Ct. Ports —4G **41**
St Johns M. S'sea —4D **50**
St John's Rd. Cosh —3B **30**
St John's Rd. Ems —3H **35**
St John's Rd. Hav —5C **20**
St John's Sq. Gos —2D **48**
St Leonard's Av. Hay I —3C **54**
St Leonards Clo. Fare —6A **12**
St Luke's Rd. Gos —1C **48**
St Margarets La. Fare —2A **24**
St Margaret's Rd. Hay I
—4C **54**
St Mark's Clo. Gos —6D **48**
St Marks Ct. Gos —2B **48**
St Mark's Pl. Gos —5D **48**
St Mark's Rd. Gos —6C **48**
St Mark's Rd. Ports —4H **41**
St Martin's Ho. S'sea —6D **50**
St Mary's Av. Gos —5C **48**
St Mary's Ho. Ports —1F **51**
St Mary's Rd. Fare —1E **37**
St Mary's Rd. Hay I —4B **54**
St Mary's Rd. Ports —1E **51**
St Matthew's Ct. Gos —2F **49**
St Matthew's Rd. Ports
—3B **30**
St Michael's Building. Ports
—2B **50** (3E **5**)
St Michaels Ct. Ports —2F **29**

St Michael's Gro. Fare —4H **25**
St Michael's Ho. Fare —3H **25**
St Michael's Rd. Hav —5C **20**
St Michael's Rd. Ports
—3B **50** (4E **5**)
St Michaels Way. Water —3C **6**
St Nicholas Av. Gos —5B **38**
St Nicholas Rd. Hav —6C **20**
St Nicholas Row. Wick
—2A **14**
St Nicholas St. Ports
—4A **50** (6C **4**)
St Paul's Rd. S'sea
—3B **50** (5E **5**)
St Paul's Sq. S'sea
—3B **50** (5E **5**)
St Peter's Av. Hay I —3E **45**
St Peters Gro. S'sea
—4D **50** (6H **5**)
St Peter's Rd. Hay I —1E **45**
St Peter's Sq. Ems —3D **34**
St Piran's Ct. Ports —6C **42**
St Quentin Ho. Fare —4G **25**
(off Bishopsfield Rd.)
St Ronan's Av. S'sea —5E **51**
St Ronan's Rd. S'sea —6E **51**
St Sebastian Cres. Fare
—6B **14**
St Simon's Rd. S'sea —5D **50**
St Stephen's Rd. Ports —5A **42**
St Swithun's Rd. Ports —3B **42**
St Theresa's Clo. Hav —6C **20**
St Thomas Av. Hay I —4H **53**
St Thomas Clo. Fare —6C **14**
St Thomas's Ct. Ports
—3A **50** (5C **4**)
St Thomas's Rd. Gos —5H **39**
St Thomas's St. Ports
—4A **50** (6B **4**)
St Ursula Gro. S'sea
—4D **50** (6H **5**)
St Valerie Rd. Gos —4D **48**
St Vincent Cres. Water —1B **10**
St Vincent Rd. Gos —1D **48**
St Vincent Rd. S'sea —5D **50**
St Vincent St. S'sea
—3C **50** (4E **5**)
Salcombe Av. Ports —4C **42**
Salerno Dri. Gos —3B **48**
Salerno Ho. Fare —4H **25**
Salerno Rd. Ports —1H **41**
Salet Way. Water —6B **10**
Salisbury Rd. Cosh —4C **30**
Salisbury Rd. S'sea —5F **51**
Salisbury Ter. Lee S —2D **46**
Salterns Av. S'sea —2H **51**
Salterns Clo. Hay I —4E **55**
Salterns Est. Fare —4B **26**
Salterns La. Fare —4B **26**
Salterns La. Hay I —4D **54**
Saltern's Rd. Fare & Lee S
—5D **36**
Saltings, The. Hav —5F **33**
Saltings, The. Ports —4G **31**
Saltmarsh La. Hay I —2A **54**
Saltmeat La. Gos —1F **49**
Salvia Clo. Water —3A **20**
Sampson Rd. Fare —5H **25**
Sampson Rd. Ports
—1H **49** (1A **4**)
Samson Clo. Gos —6D **38**
Samuel Rd. Ports —1F **51**
Sandcroft Clo. Gos —4A **48**
Sanderling Rd. S'sea —2A **52**
Sanderlings, The. Hay I
—5C **54**
Sanderson Cen., The. Gos
—2D **48**
Sandford Av. Gos —3H **47**

Sandhill La. Lee S —5A **38**
(in two parts)
Sandhurst Ct. S'sea —4D **50**
San Diego Rd. Gos —1D **48**
Sandisplatt. Fare —3E **25**
Sandleford Rd. Hav —2D **20**
Sandlewood Clo. Water —2G **7**
Sandown Clo. Gos —4H **47**
Sandown Heights. Fare —3E **25**
Sandown Rd. Ports —4A **30**
Sandpiper Clo. Water —6A **6**
Sandpipers. Ports —4G **31**
Sandport Gro. Fare —4H **27**
Sandringham La. Ports —2E **51**
Sandringham Rd. Fare —3D **24**
Sandringham Rd. Ports
—2E **51**
Sandy Beach Est. Hay I
—6H **55**
Sandy Brow. Water —5F **19**
Sandyfield Cres. Water —4G **9**
Sandy La. Fare —3B **24**
Sandy Point. Hay I —4H **55**
Sandy Point Rd. Hay I —6G **55**
Sanross Clo. Fare —4C **36**
Sapphire Ridge. Water —2A **20**
Sarah Robinson Ho. Ports
—2A **50** (2C **4**)
Saunders M. S'sea —5H **51**
Savernake Clo. Gos —3D **38**
Saville Clo. Gos —4B **48**
Saville Gdns. Fare —6A **14**
Savoy Ct. S'sea —6E **51**
Saxley Ct. Hav —3C **20**
Saxon Clo. Fare —2H **27**
Saxon Clo. Water —2C **6**
Scafell Av. Fare —3F **25**
Scholars' Wlk. Ports —4E **31**
School La. Den —2A **8**
School La. Ems —4F **23**
(Long Corpse La.)
School La. Ems —3D **34**
(West St.)
School La. Ports —6H **41**
School Rd. Gos —4F **39**
School Rd. Hav —2E **33**
School Rd. Wick —2A **14**
Schooners Clo. Lee S —1D **46**
Schooner Way. S'sea —1A **52**
Scimitars, The. Fare —2D **36**
Scotney Ct. Hav —3H **21**
Scott Clo. Fare —1E **37**
Scott Ho. Ports —3G **41**
Scott Rd. Hils —6B **30**
Scott Rd. Navy —1H **49** (1A **4**)
Scratchface La. Hav —1B **32**
Scratchface La. Water —5H **19**
(in three parts)
Seabird Way. Fare —4B **26**
Sea Crest Rd. Lee S —2D **46**
Seafarers Wlk. Hay I —6H **55**
Seafield Pk. Rd. Fare —4D **36**
Seafield Rd. Fare —4H **27**
Seafield Rd. Ports —4C **42**
Seafields. Ems —3C **34**
Seafield Ter. Gos —4E **49**
Sea Front. Hay I —4G **53**
Sea Front Est. Hay I —5D **54**
Seager's Ct. Ports
—4H **49** (6A **4**)
Sea Gro. Av. Hay I —5C **54**
Seagrove Rd. Ports —4H **41**
Seagull Clo. S'sea —1A **52**
Seagull La. Ems —2D **34**
(in two parts)
Seagulls, The. Lee S —3E **47**
Seahorse Wlk. Gos —2F **49**
Sea Kings. Fare —2D **36**
(in two parts)

Sea La. Fare —5E **37**
Seamead. Fare —5E **37**
Sea Mill Gdns. Ports
—2A **50** (3C **4**)
Seathrift Clo. Lee S —1C **46**
Seathwaite Ho. Ports —2F **29**
Seaton Av. Ports —5C **42**
Seaton Clo. Fare —3E **37**
Seaview Av. Fare —2C **28**
Seaview Ct. Gos —4H **47**
Seaview Ct. Lee S —2D **46**
Sea Vw. Rd. Hay I —4E **55**
Sea Vw. Rd. Ports —2E **31**
Seaward Tower. Gos —3G **49**
Seaway Cres. S'sea —3B **52**
Seaway Gro. Fare —5A **28**
Sebastian Gro. Water —1A **20**
Second Av. Farl —4F **31**
Second Av. Hav —1H **33**
Second Av. Ports —3A **30**
Second Av. S'brne —3H **35**
Sedgefield Clo. Ports —3D **28**
Sedgeley Gro. Gos —5G **39**
Sedgewick Clo. Gos —5C **38**
Sedgley Clo. S'sea
—3D **50** (4H **5**)
Segensworth E. Ind. Est. Fare
(in two parts) —4A **12**
Segensworth N. Ind. Est. Fare
—4A **12**
Segensworth Rd. Fare —5A **12**
Selangor Av. Ems —2A **34**
Selborne Av. Hav —4D **20**
Selborne Gdns. Gos —3B **48**
Selbourne Rd. Hav —2E **33**
Selbourne Ter. Ports —2E **51**
Selhurst Ho. Ports —1D **50**
Selma Ct. S'sea —5D **50**
Selsey Av. Gos —5G **39**
Selsey Av. S'sea —5G **51**
Selsey Clo. Hay I —5H **55**
Selsmore Av. Hay I —5E **55**
Selsmore Rd. Hay I —4C **54**
Sennen Pl. Port S —4E **29**
Sentinel Clo. Water —6B **10**
Serpentine Rd. Fare —6B **14**
Serpentine Rd. S'sea —5C **50**
(Clarence Pde.)
Serpentine Rd. S'sea —5C **50**
(Portland Rd.)
Serpentine Rd. Wid —6E **19**
Service Rd. Ports —3H **29**
Settlers Clo. Ports
—1D **50** (1H **5**)
Sevenoaks Rd. Ports —3A **30**
Severn Clo. Fare —3G **27**
Severn Clo. Ports —2F **29**
(in two parts)
Seymour Clo. Ports —6H **41**
Seymour Rd. Lee S —3D **46**
Shackleton Ho. Ports —3A **42**
Shackleton Rd. Gos —5D **38**
Shadwell Ct. Ports —3G **41**
Shadwell Rd. Ports —3H **41**
Shaftesbury Av. Water —5F **19**
Shaftesbury Rd. Gos —3E **49**
(in two parts)
Shaftesbury Rd. S'sea —5C **50**
Shakespeare Gdns. Water
—4G **9**
Shakespeare M. Titch —3C **24**
(off East St.)
Shakespeare Rd. Ports —1E **51**
Shakespeare Ter. Ports —6C **4**
Shalbourne Rd. Gos —6G **39**
Shaldon Rd. Hav —3H **21**
Shamrock Clo. Gos —3F **49**
Shamrock Enterprise Cen. Gos
—4F **39**

Shanklin Pl. *Fare* —3E **25**
Shanklin Rd. *S'sea* —3E **51**
Shannon Clo. *Fare* —1F **25**
Shannon Rd. *Fare* —1D **36**
(Old St.)
Shannon Rd. *Fare* —6A **26**
(Royal Sovereign Av.)
Sharlands Rd. *Fare* —5A **26**
Sharon Ct. *Gos* —2E **49**
Sharpness Clo. *Fare* —3E **25**
Sharps Clo. *Ports* —2D **42**
Sharps Rd. *Hav* —4H **21**
Shawcross Ind. Pk. *Ports*
—6C **30**
Shawfield Rd. *Hav* —2G **33**
Shawford Gro. *Hav* —4C **20**
Shearer Rd. *Ports* —6A **42**
Shearwater Av. *Fare* —2E **27**
Shearwater Clo. *Gos* —3B **38**
Shearwater Dri. *Ports* —4H **31**
Sheepwash La. *Water* —6A **8**
Sheepwash Rd. *Horn* —1D **10**
(Havant Rd.)
Sheepwash Rd. *Horn* —4C **10**
(Padnell Rd.)
Sheffield Ct. *Gos* —1G **47**
Sheffield Rd. *Ports* —2E **51**
Shelford Rd. *S'sea* —2H **51**
Shelley Av. *Ports* —2C **28**
Shelley Gdns. *Water* —4G **9**
Shenley Clo. *Fare* —1E **25**
Shepards Clo. *Fare* —3E **25**
Shepheard's Way. *Gos* —5E **49**
Sheppard Clo. *Water* —1A **10**
Sherfield Av. *Hav* —4G **21**
Sheringham Rd. *Ports*
—2H **29**
Sherwin Wlk. *Gos* —4C **48**
Sherwood Rd. *Gos* —3C **48**
Shetland Clo. *Ports* —2B **30**
Shillinglee. *Water* —5G **19**
Shipbuilding Rd. *Ports*
—1H **49**
Ship Leopard St. *Ports*
—2A **50** (2B **4**)
Shipton Grn. *Hav* —3D **20**
Shire Clo. *Water* —6B **10**
Shirley Av. *S'sea* —3A **52**
Shirley Rd. *S'sea* —5E **51**
Shirrel Ct. *Gos* —4H **47**
Sholing Ct. *Hav* —3D **20**
Shoot La. *Lee S* —5H **37**
Shore Av. *S'sea* —1H **51**
Shorehaven. *Ports* —3D **28**
Short Rd. *Fare* —3C **36**
Short Row. *Navy*
—1A **50** (1B **4**)
Shrubbery Clo. *Fare* —4A **28**
Shrubbery, The. *Gos* —6F **39**
Sibland Clo. *Fare* —3F **25**
Sidlesham Clo. *Hay I* —5H **55**
Sidmouth Av. *Ports* —5C **42**
Silchester Rd. *Ports* —6D **42**
Silkstead Av. *Hav* —3F **21**
Silver Birch Av. *Fare* —3G **25**
Silverdale Dri. *Water* —5E **9**
Silverlock Clo. *Ports* —5H **41**
Silverlock Pl. *Ems* —4F **23**
Silver Sands Gdns. *Hay I*
—5D **54**
Silver St. *S'sea* —4B **50** (6E **5**)
Silverthorne Way. *Water*
—1F **19**
Silvertrees. *Ems* —1D **34**
Silvester Rd. *Water* —4G **9**
Simmons Grn. *Hay I* —4E **55**
Simpson Clo. *Fare* —2A **28**
Simpson Rd. *Cosh* —2B **30**
Simpson Rd. *Ports* —4G **41**

Sinah La. *Hay I* —4G **53**
Sinah Warren Holiday Village.
Hay I —3F **53**
Singleton Gdns. *Water* —1D **6**
Sirius Ct. *S'sea* —3C **50** (5F **5**)
Sirius Ho. *S'sea* —5D **50**
Siskin Gro. *Water* —3A **20**
Siskin Rd. *S'sea* —2A **52**
Sissinghurst Rd. *Fare* —4G **27**
Sixth Av. *Ports* —3A **30**
Skew Rd. *Fare* —1A **28**
Skipper Way. *Lee S* —1D **46**
Skylark Ct. *S'sea* —2A **52**
Skylark Meadows. *Fare*
—4B **12**
Slater App. *Ports* —4F **41**
Slindon Clo. *Water* —2H **7**
Slindon Gdns. *Hav* —2F **33**
Slindon St. *Ports*
—2C **50** (2G **5**)
Slingsby Clo. *Ports*
—4B **50** (6D **4**)
Slipper Cvn. Pk. *Ems* —3E **35**
Slipper Rd. *Ems* —3E **35**
Slipway, The. *Port S* —4E **29**
Sloane Stanley Ct. *Gos* —1D **48**
Slocum Ho. *Gos* —3E **49**
Smallcutts Av. *Ems* —2H **35**
Smeaton St. *Ports* —3G **41**
Smeeton Rd. *Lee S* —1D **46**
Smith St. *Gos* —3C **48**
Smithy, The. *Water* —3A **8**
Snape Clo. *Gos* —5C **38**
Snowberry Cres. *Hav* —6H **21**
Snowdon Dri. *Fare* —3G **25**
Soake Rd. *Water* —4D **8**
Soberton Ho. *Ports* —1H **5**
Soberton Rd. *Hav* —5E **21**
Soldridge Clo. *Hav* —3A **22**
Solent Bus. Pk. *White* —2A **12**
Solent Cen. *White* —2A **12**
Solent Dri. *Hay I* —5B **54**
Solent Heights. *Lee S* —2C **46**
Solent Heights. *S'sea* —4C **52**
Solent Ho. *Fare* —4A **26**
Solent Ho. *Hav* —6G **21**
Solent Rd. *Fare* —4C **36**
Solent Rd. *Hav* —2D **32**
Solent Rd. *Ports* —3E **31**
Solent 27. *Ports* —5E **31**
Solent Vw. *Fare* —2H **27**
Solent Village. *White* —3A **12**
Solent Way. *Gos* —4A **48**
Solihull Ho. *S'sea*
—3B **50** (4E **5**)
Somborne Dri. *Hav* —4F **21**
Somerset Rd. *S'sea* —6D **50**
Somers Rd. *S'sea*
(in two parts) —3C **50** (5G **5**)
Somers Rd. N. *Ports* —2E **51**
Somervell Clo. *Gos* —5C **48**
Somervell Dri. *Fare* —6H **13**
Somerville Pl. *Ports* —3G **41**
Sonnet Way. *Water* —1B **20**
Sopley Ct. *Hav* —3H **21**
Sorrel Clo. *Water* —3A **20**
Sorrel Dri. *White* —2A **12**
Southampton Hill. *Fare* —2B **24**
Southampton Ho. *Hav* —4G **21**
Southampton Rd. *Fare* —1B **26**
Southampton Rd. *Ports*
—3C **28**
Southampton Row. *Ports*
—2A **50** (2C **4**)
South Av. *Ports* —1A **42**
Southbourne Av. *Ems* —3F **35**
Southbourne Av. *Ports* —3D **30**
Southbrook Clo. *Hav* —3F **33**
Southbrook Rd. *Hav* —4F **33**

Southcliff. *Lee S* —6G **37**
South Clo. *Gos* —5B **48**
South Clo. *Hav* —3G **33**
Southcroft Rd. *Gos* —2B **48**
S. Cross St. *Gos* —3F **49**
Southdown Rd. *Cosh* —3C **30**
Southdown Rd. *Water & Horn*
(in three parts) —3C **6**
Southdown Vw. *Water* —5E **9**
Southernhay. *Water* —3B **8**
Southfield Wlk. *Hav* —2C **20**
Southlands. *Ports* —3C **30**
South La. *S'brne* —1H **35**
South La. *Water* —2F **7**
(Drift Rd.)
South La. *Water* —4G **7**
(North La.)
Southleigh Gro. *Hay I* —3B **54**
Southleigh Rd. *Hav & Ems*
(in two parts) —2H **33**
S. Lodge. *Fare* —2D **24**
Southmead Rd. *Fare* —2F **25**
Southmoor La. *Hav* —3D **32**
South Normandy. *Ports*
—3A **50** (5C **4**)
South Pde. *S'sea* —6D **50**
South Pl. *Lee S* —3E **47**
South Rd. *Cosh* —4F **31**
South Rd. *Hay I* —4B **54**
South Rd. *Horn* —4C **6**
(in two parts)
South Rd. *Ports* —6A **42**
South Rd. *S'wick* —1E **29**
(Hilltop Rd.)
South Rd. *S'wick* —3E **17**
(Main Dri.)
Southsea Esplanade. *S'sea*
—6F **51**
Southsea Ter. *S'sea* —4B **50**
Southsea Works Ind. Est.
S'sea —2G **51**
South Spur. *S'wick* —1F **29**
South St. *Ems* —3D **34**
South St. *Gos* —4D **48**
South St. *Hav* —3F **33**
South St. *S'sea* —4C **50** (6E **5**)
South St. *Titch* —3B **24**
South Ter. *Ports*
—2A **50** (2B **4**)
South Vw. *Cowp* —3A **10**
Southwater. *Lee S* —1B **46**
Southway. *Gos* —2C **38**
Southway. *Titch* —6A **12**
Southways. *Stub* —3F **37**
Southwick Av. *Fare* —2C **28**
Southwick By-Pass. *S'wick*
—3B **16**
Southwick Ct. *Fare* —5A **26**
Southwick Hill Rd. *Cosh*
—1H **29**
Southwick Ho. *Ports* —1H **5**
Southwick Rd. *Den* —3A **8**
Southwick Rd. *S'wick* —4D **16**
Southwick Rd. *Wick & N Boar*
—2B **14**
Southwood Rd. *Hay I* —5E **55**
Southwood Rd. *Ports* —1A **42**
Sovereign Av. *Gos* —6A **40**
Sovereign Clo. *S'sea* —2B **52**
Sovereign Dri. *S'sea* —2A **52**
Sovereign Ga. *Ports* —1C **50**
(off Staunton St.)
Sovereign La. *Water* —6G **19**
Sparrow Clo. *Water* —3D **8**
Sparrow Ct. *Lee S* —6H **37**
Sparsholt Clo. *Hav* —4C **20**
Spartan Clo. *Ems* —2H **45**
Spartan Clo. *Fare* —6F **25**
Specks La. *S'sea* —2G **51**

Speedfield Pk. Retail Pk. *Fare*
—6B **26**
Spencer Clo. *Hay I* —4C **54**
Spencer Ct. *Fare* —3G **37**
Spencer Ct. *S'sea* —5D **50**
Spencer Dri. *Lee S* —2D **46**
Spencer Gdns. *Water* —3G **9**
Spencer Rd. *Ems* —5C **22**
Spencer Rd. *S'sea* —5F **51**
Spenlow Clo. *Ports* —6H **41**
Spice Quay. *Ports*
—4A **50** (6A **4**)
Spicer Ho. *Ports* —1D **4**
Spicer St. *Ports* —1C **50** (1G **5**)
Spicewood. *Fare* —1G **25**
Spindle Clo. *Hav* —6A **22**
Spindle Warren. *Hav* —6A **22**
Spinnaker Clo. *Gos* —6D **38**
Spinnaker Clo. *Hay I* —3A **54**
Spinnaker Dri. *Ports* —1H **41**
Spinnaker Grange. *Hay I*
—1E **45**
Spinnaker Vw. *Fare* —2A **32**
Spinney Clo. *Water* —3G **9**
Spinney, The. *Den* —4B **8**
Spinney, The. *Fare* —2F **27**
Spinney, The. *Gos* —4D **38**
Spinney, The. *Water* —1A **10**
Spithead Av. *Gos* —6E **49**
Spithead Heights. *S'sea*
—4C **52**
Spithead Ho. *Fare* —4A **26**
Spring Ct. *Lee S* —2D **46**
Springcroft. *Gos* —6B **26**
Springfield Clo. *Hav* —1B **32**
Springfield Clo. *Wick* —1A **14**
Springfield Way. *Fare* —4E **37**
Spring Garden La. *Gos* —2E **49**
Spring Gdns. *Ems* —3D **34**
Spring Gdns. *Ports*
—2C **50** (3E **5**)
Springles La. *Fare* —4B **12**
Spring St. *Ports* —2C **50** (2F **5**)
Spring, The. *Water* —4B **8**
Spring Va. *Water* —3B **10**
Spring Wlk. *Ports*
—1C **50** (1F **5**)
Springwood Av. *Water* —3H **19**
Spruce Av. *Water* —2A **20**
Spruce Wlk. *Lee S* —1D **46**
Spurlings Rd. *Fare* —5D **14**
Spur Rd. *Cosh* —3B **30**
Spur Rd. *Water* —2G **19**
Spur, The. *Gos* —5B **48**
Square, The. *Gos* —5A **40**
Square, The. *Titch* —3B **24**
Square, The. *Westb* —6F **23**
Square, The. *Wick* —2A **14**
(in two parts)
Stacey Ct. *Hav* —2D **20**
Stafford Rd. *S'sea* —4D **50**
Staffwise Bus. Cen. *Cosh*
—4B **30**
Stagshorn Rd. *Water* —6C **6**
Stag Way. *Fare* —4F **13**
Stakes Hill Rd. *Water* —2G **19**
Stakes Rd. *Water* —4E **19**
Stallard Clo. *Ems* —2C **34**
Stamford Av. *Hay I* —4A **54**
Stamford St. *Ports* —1E **51**
Stampsey Ct. *Ports* —3G **41**
Stamshaw Promenade. *Ports*
—1H **41**
Stamshaw Rd. *Ports* —3H **41**
Stanbridge Rd. *Hav* —6H **21**
Standard Way. *Fare* —6C **14**
Stanford Clo. *Ports* —3H **29**
Stanford Ct. *Hav* —4H **21**

Stanhope Ga. *S'sea* —5C **50**
Stanhope Rd. *Ports*
   —2C **50** (2F **5**)
Stanley Av. *Ports* —5D **42**
Stanley Clo. *Fare* —2G **25**
Stanley Clo. *Gos* —4G **39**
Stanley La. *S'sea* —5C **50**
Stanley Rd. *Ems* —3E **35**
Stanley Rd. *Ports* —4G **41**
Stanley St. *S'sea* —5C **50**
Stansted Clo. *Row C* —5H **11**
Stansted Cres. *Hav* —3H **21**
Stansted Rd. *S'sea* —3D **50**
Stanswood Rd. *Hav* —3D **20**
Staple Clo. *Water* —6F **9**
Staplers Reach. *Gos* —3B **38**
Stapleton Rd. *Ports* —5C **42**
Stares Clo. *Gos* —6C **38**
Starina Gdns. *Water* —1B **20**
Starling Way. *Lee S* —6H **37**
Station App. *Ems* —2D **34**
Station App. *Fare* —2A **26**
Station App. *Ports*
   —2A **50** (3B **4**)
Station Clo. *Wick* —1A **14**
Station Rd. *Dray* —5E **31**
Station Rd. *Gos* —6F **39**
Station Rd. *Hay I* —3H **53**
Station Rd. *Portc* —3B **28**
Station Rd. *Ports* —5C **42**
Station Rd. *Wick* —1A **14**
Station St. *Ports*
   —2C **50** (2F **5**)
Staunton Av. *Hay I* —4H **53**
Staunton Rd. *Hav* —1E **33**
Staunton St. *Ports* —1C **50**
Stead Clo. *Hay I* —4D **54**
Steel St. *S'sea* —4B **50** (6E **5**)
Steep Clo. *Fare* —2A **28**
Steerforth Clo. *Ports* —5H **41**
Stein Rd. *Ems* —1H **35**
Stephen Clo. *Water* —5B **10**
Stephen Lodge. *S'sea* —4C **50**
Stephen Rd. *Fare* —2H **25**
Stephenson Clo. *Gos* —5C **48**
Stephenson Way. *Fare* —1A **24**
Stewart Pl. *Ports* —6A **42**
Stirling Av. *Water* —2H **19**
Stirling Ct. *Fare* —6G **13**
Stirling St. *Ports* —5H **41**
Stockbridge Clo. *Hav* —4H **21**
Stocker Pl. *Gos* —4D **38**
Stockheath La. *Hav* —1E **33**
Stockheath Rd. *Hav* —5E **21**
Stockheath Way. *Hav* —6F **21**
Stoke Gdns. *Gos* —3E **49**
Stoke Rd. *Gos* —3D **48**
Stokes Bay Mobile Home Pk.
  (in two parts)   *Gos* —5H **47**
Stokes Bay Rd. *Gos* —5H **47**
Stokeway. *Gos* —3E **49**
Stonechat Rd. *Water* —1A **10**
Stonecross Ho. *Ports* —5H **41**
Stone La. *Gos* —3D **48**
  (in two parts)
Stoneleigh Clo. *Fare* —3H **27**
Stoners Clo. *Gos* —2B **38**
Stone Sq. *Hav* —5F **21**
Stone St. *S'sea* —4B **50** (6E **5**)
Stony La. *Ports*
   —1H **49** (1A **4**)
Storrington Rd. *Water* —2H **7**
Stow Cres. *Fare* —1F **25**
Stowe Rd. *S'sea* —3A **52**
Stradbrook. *Gos* —4B **38**
Strand, The. *Hay I* —6E **55**
Strand, The. *S'sea* —6D **50**
Stratfield Gdns. *Hav* —2D **20**
Stratfield Pk. *Water* —1E **19**

Stratford Ho. *S'sea*
   —3C **50** (5F **5**)
Stratford Rd. *Water* —1A **20**
Strathmore Rd. *Gos* —3E **49**
Stratton Clo. *Ports* —3G **29**
Stride Av. *Ports* —1G **51**
Strode Rd. *Ports* —3G **41**
Strouden Ct. *Hav* —2D **20**
Strouden Ct. Precinct. *Hav*
   —2D **20**
Stroud Grn. La. *Fare* —6F **25**
Stroudley Av. *Ports* —5E **31**
Stroudwood Rd. *Hav* —6F **21**
Stuart Clo. *Fare* —3E **37**
Stuart Ct. *Ports* —3B **30**
Stubbington Av. *Ports* —4A **42**
Stubbington Grn. *Fare* —2E **37**
Stubbington La. *Fare* —2F **37**
Studland Rd. *Lee S* —1C **46**
Sudbury Rd. *Ports* —3H **29**
Suffolk Cotts. *Gos* —4D **48**
Suffolk Rd. *S'sea* —4G **51**
Sullivan Clo. *Ports* —3C **28**
Sullivan Way. *Water* —4G **19**
Sultan Rd. *Ems* —2D **34**
Sultan Rd. *Ports* —6H **41**
Sumar Clo. *Fare* —6F **25**
Summerhill Rd. *Water* —4H **9**
Summerlands Wlk. *Hav*
   —4H **21**
Summerleigh Wlk. *Fare*
   —6F **25**
Sunbeam Way. *Gos* —4D **48**
Sunbury Ct. *Fare* —5G **13**
Sun Ct. *S'sea* —4H **5**
Suncourt Vs. *Gos* —5F **39**
Sunderton La. *Water* —2F **7**
Sundridge Clo. *Ports* —3A **30**
Sunningdale Clo. *Gos* —4C **38**
Sunningdale Rd. *Fare* —4B **28**
Sunningdale Rd. *Ports* —1G **51**
Sunnyheath. *Hav* —5E **21**
Sunnymead Dri. *Water* —5E **9**
Sunnyside Wlk. *Hav* —2D **20**
Sunny Wlk. *Ports*
   —2H **49** (2A **4**)
Sunshine Av. *Hay I* —5D **54**
Sun St. *Ports* —2A **50** (3C **4**)
Suntrap Gdns. *Hay I* —5D **54**
Sunwood Rd. *Hav* —2D **20**
Surrey St. *Ports* —2C **50** (2F **5**)
Sussex Ct. *S'sea* —4C **50**
Sussex Pl. *Ports* —1C **50**
Sussex Pl. *S'sea* —4C **50**
Sussex Rd. *S'sea* —4C **50**
Sussex Ter. *S'sea* —4C **50**
Sutherland Rd. *S'sea* —4E **51**
Sutton Clo. *Cowp* —4F **9**
Sutton Clo. *Ports* —1D **42**
Sutton Rd. *Water* —4F **9**
Swallow Clo. *Hav* —6H **21**
Swallow Ct. *Lee S* —6H **37**
Swallow Ct. *Water* —1F **7**
Swallow Wood. *Fare* —5B **14**
Swanage Rd. *Lee S* —1C **46**
Swan Clo. *Ems* —3E **35**
Swancote. *Fare* —3F **27**
Swan Clo. *Gos* —1B **38**
Swanmore Rd. *Hav* —2D **20**
Swan Quay. *Fare* —3D **26**
Swans Wlk. *Hay I* —4E **55**
Swarraton Rd. *Hav* —6G **21**
Sway Ct. *Hav* —4H **21**
Swaything Rd. *Hav* —3D **20**
Sweetbriar Gdns. *Water*
   —4H **19**
Swift Clo. *Lee S* —6H **37**
Swift Clo. *Water* —6A **8**
Swinburn Gdns. *Water* —3H **9**

Swiss Rd. *Water* —2G **19**
Swivelton La. *Fare* —5G **15**
Sword Clo. *Gos* —5A **48**
Sword Clo. *Water* —2F **7**
Sword Sands Path. *Ports*
   —6E **43**
Sword Sands Rd. *Ports*
   —6E **43**
Sycamore Clo. *Clan* —2H **7**
Sycamore Clo. *Gos* —4D **38**
Sycamore Clo. *Water* —4G **9**
Sycamore Dri. *Hay I* —3A **54**
Sydenham Ct. *Ports* —2D **50**
Sydenham Ter. *Ports* —2D **50**
Sydmonton Ct. *Hav* —3H **21**
Sydney Ho. *Ports*
   —1C **50** (1H **5**)
Sydney Rd. *Gos* —3D **48**
Sylvan Vw. *Water* —3H **19**
Sywell Cres. *Ports* —1D **42**

Tagdell La. *Horn* —5A **6**
Tait Pl. *Gos* —4D **38**
Talbot Clo. *Hav* —6D **20**
Talbot M. *S'sea* —3E **51**
Talbot Rd. *Fare* —1A **24**
Talbot Rd. *Hav* —6D **20**
Talbot Rd. *S'sea* —4E **51**
Tamar Clo. *Fare* —2G **27**
Tamar Down. *Water* —2A **20**
Tamarisk Clo. *Fare* —4E **37**
Tamarisk Clo. *S'sea* —4A **52**
Tamarisk Clo. *Water* —4A **20**
Tammy's Turn. *Fare* —3D **24**
Tamworth Ct. *Gos* —4D **48**
Tamworth Rd. *Ports* —1G **51**
Tanfield La. *Wick* —2A **14**
Tanfield Pk. *Wick* —2A **14**
Tangier Rd. *Ports* —6C **42**
Tanglewood. *Fare* —6A **14**
Tanglewood Clo. *Water* —5E **19**
Tangley Wlk. *Hav* —4H **21**
Tangyes Clo. *Fare* —2F **37**
Tankerton Clo. *Ports* —3A **30**
Tanneries Ind. Est., The. *Hav*
   —2E **33**
Tanneries, The. *Titch* —3C **24**
Tanner La. *Fare* —5G **25**
Tanner's La. *Water* —2B **8**
Tanner's Ridge. *Water* —6G **19**
Tansy Clo. *Water* —3A **20**
Tarberry Cres. *Water* —6C **6**
Target Rd. *Ports* —2G **41**
Tarius Clo. *Gos* —2D **38**
Tarleton Rd. *Ports* —2F **29**
Tarn Ri. *Horn* —3C **6**
Tarrant Gdns. *Hav* —6D **20**
Taswell Rd. *S'sea* —5D **50**
Tattershall Cres. *Fare* —4H **27**
Tavistock Gdns. *Hav* —2H **33**
Tawny Owl Clo. *Fare* —1D **36**
Taylor Rd. *Gos* —5E **49**
Teal Clo. *Fare* —3F **27**
Teal Clo. *Hay I* —4D **54**
Teal Clo. *Water* —6A **6**
Teal Wlk. *Gos* —2B **38**
Teapot Row. *S'sea* —5H **51**
Tebourba Dri. *Gos* —4C **48**
Tebourba Ho. *Fare* —3G **25**
Tedder Rd. *Gos* —2D **38**
Teddington Rd. *S'sea* —4G **51**
Ted Kelly Ct. *Ports*
   —2A **50** (3C **4**)
Teglease Grn. *Hav* —2D **20**
Teignmouth Rd. *Gos* —6F **39**
Teignmouth Rd. *Ports* —5C **42**
Telephone Rd. *S'sea* —3E **51**
Telford Rd. *Ports* —2A **42**

Tempest Av. *Water* —2A **20**
Templemere. *Fare* —4D **24**
Temple St. *Ports*
   —1C **50** (1G **5**)
Templeton Clo. *Ports* —2A **42**
Tennyson Cres. *Water* —5F **9**
Tennyson Gdns. *Fare* —1A **26**
Tennyson Rd. *Ports* —5B **42**
Tensing Clo. *Fare* —6A **14**
Terence O'Hara Ct. *S'sea*
  (off Albert Rd.)   —5E **51**
Terminus Ind. Est. *Ports*
   —2C **50** (2G **5**)
Tern Wlk. *Gos* —2B **38**
Tern Wlk. *S'sea* —2H **51**
Testcombe Rd. *Gos* —4C **48**
Testwood Rd. *Hav* —4D **20**
Tewkesbury Av. *Fare* —6E **13**
Tewkesbury Av. *Gos* —6G **39**
Tewkesbury Clo. *Ports* —3H **29**
Thackeray Mall. Fare —2B 26
  (off Fareham Shop. Cen.)
Thackeray Sq. *Fare* —2B **26**
Thames Dri. *Fare* —5F **13**
Thamesmead Clo. *Gos* —6F **39**
Theatre M. *S'sea* —5D **50**
Theseus Rd. *Lee S* —6F **37**
Thetford Rd. *Gos* —6F **39**
Thicket, The. *Fare* —2F **27**
Thicket, The. *Gos* —4D **38**
Thicket, The. *S'sea*
   —4D **50** (6H **5**)
Thicket, The. *Wid* —1F **31**
Third Av. *Hav* —1G **33**
Third Av. *Ports* —3A **30**
Thirlmere Clo. *Fare* —1F **37**
Thirlmere Ho. *Ports* —2F **29**
Thistledown. *Water* —2B **10**
Thistledowne Gdns. *Ems*
   —3F **35**
Thornbrake Rd. *Gos* —4E **49**
Thornbury Clo. *Fare* —3E **25**
Thornby Ct. *Ports* —1E **43**
Thorncliffe Clo. *Ports* —1B **42**
Thorncroft Rd. *Ports* —2E **51**
Thorney Clo. *Fare* —3F **25**
Thorney Rd. *Ems* —3F **35**
Thornfield Clo. *Water* —3C **6**
Thorngate Ct. *Gos* —2C **48**
Thorngate Way. *Gos* —3F **49**
Thornham La. *Ems* —5F **35**
Thorni Av. *Fare* —6E **13**
Thornton Clo. *Water* —1D **30**
Thornton Rd. *Gos* —5H **39**
Thorrowgood Ho. *Ports*
   —5H **41**
Three Acres. *Water* —4C **8**
Three Tun Clo. *Ports*
   —2A **50** (3C **4**)
Thresher Clo. *Water* —6C **10**
Thrush Wlk. *Water* —4G **9**
Thruxton Rd. *Hav* —4C **20**
Thurbern Rd. *Ports* —3A **42**
Tichborne Gro. *Hav* —4D **20**
Tichborne Way. *Gos* —3D **38**
Tidcombe Grn. *Hav* —2C **20**
Tideway Gdns. *S'sea* —3A **52**
Tidworth Rd. *Hav* —5F **21**
Tiffield Clo. *Ports* —1E **43**
Tilford Rd. *Water* —1H **9**
Tillington Gdns. *Water* —1D **6**
Timberlane. *Water* —5F **19**
Timberley Ho. *Ports* —2H **5**
Timbers, The. *Fare* —2E **25**
Timpson Rd. *Ports* —1E **51**
Timsbury Cres. *Hav* —6E **21**
Tintagel Way. *Port S* —4F **29**
Tintern Clo. *Ports* —2E **29**
Tintern Rd. *Gos* —3C **48**

Warren Clo. *Hay I* —3G **53**
Warrior Bus. Cen., The. *Ports*
—4G **31**
Warsash Clo. *Hav* —3E **21**
Warsash Gro. *Gos* —3B **38**
Warsash Rd. *Wars & Fare*
—3A **24**
Warspite Clo. *Ports* —1H **41**
Warwick Clo. *Lee S* —3E **47**
Warwick Cres. *S'sea*
—3C **50** (5G **5**)
Warwick Way. *Wick* —1A **14**
Wasdale Clo. *Water* —3C **6**
Washbrook Rd. *Ports* —3H **29**
Washington Rd. *Ems* —2D **34**
Washington Rd. *Ports* —5H **41**
Waterberry Dri. *Water* —6E **9**
Watergate. *Gos* —3G **49**
Waterlock Gdns. *S'sea* —3B **52**
Waterloo Clo. *Water* —4F **9**
Waterloo Rd. *Gos* —6E **49**
Waterloo Rd. *Hav* —1F **33**
Waterloo St. *S'sea*
—3C **50** (4F **5**)
Waterman Ter. S'sea —4E 51
(off Boulton Rd.)
Watermead Rd. *Ports* —4G **31**
Water's Edge. *Lee S* —3D **46**
Watersedge. *Wick* —1A **14**
Watersedge Gdns. *Ems*
—3D **34**
Waters Edge Rd. *Ports* —3E **29**
Waterside Gdns. *Fare* —1D **26**
Waterside La. *Fare* —5C **28**
Watersmeet. *Fare* —4B **26**
Waters, The. *Fare* —4G **13**
Waterworks Rd. *Ports* —3F **31**
Watts Rd. *Ports* —6H **41**
Wavell Rd. *Gos* —2D **38**
Waveney Clo. *Lee S* —1D **46**
Waverley Gro. *S'sea* —5E **51**
Waverley Path. *Gos* —4A **48**
Waverley Rd. *Dray* —3E **31**
Waverley Rd. *S'sea* —6D **50**
Wayfarer Clo. *S'sea* —2A **52**
Wayfarers. *Gos* —6D **38**
Wayte St. *Ports* —4B **30**
Weavers Grn. *Hav* —6A **22**
Webb Clo. *Hay I* —5C **54**
Webbers Way. *Gos* —5E **49**
Webb La. *Hay I* —5C **54**
Webb Rd. *Fare* —5B **28**
Wedgewood Clo. *Fare* —3E **37**
Wedgwood Way. *Water* —5G **9**
Weevil La. *Gos* —1F **49**
Welch Rd. *Gos* —6G **39**
Welch Rd. *S'sea* —5E **51**
Welchwood Clo. *Water* —1H **9**
Well Copse Clo. *Water* —4C **6**
Weller Ho. *Ports* —6H **41**
Wellesley Clo. *Water* —2G **19**
Wellington Clo. *Horn* —1D **10**
Wellington Ct. *Hav* —1F **33**
Wellington Gro. *Fare* —4A **28**
Wellington St. *S'sea*
—3C **50** (4F **5**)
Wellington Way. *Water* —2G **19**
Well Mdw. *Hav* —3E **21**
Wellow Clo. *Hav* —6D **20**
Wellsworth La. *Row C* —4H **11**
Wembley Gro. *Ports* —5C **30**
Wendover Rd. *Hav* —1E **33**
Wensley Gdns. *Ems* —6D **22**
Wentworth Dri. *Water* —6B **6**
Wesermarsch Rd. *Water*
—3A **10**
Wesley Ct. *Ports* —2E **51**
Wesley Gro. *Ports* —2B **42**
Wessex Gdns. *Fare* —4H **27**

Wessex Ga. Ind. Est. *Water*
—1C **10**
Wessex Rd. *Water* —2C **6**
W. Battery Rd. *Ports* —4F **41**
Westborn Rd. *Fare* —2B **26**
Westbourne Av. *Ems* —1D **34**
Westbourne Cvn. Pk. *Ems*
—5H **23**
Westbourne Clo. *Ems* —1E **35**
Westbourne Ct. *Hav* —1E **33**
Westbourne Rd. *Ems* —6E **23**
Westbourne Rd. *Ports* —5B **42**
Westbrook Cen., The. *Water*
—6B **10**
Westbrooke Clo. *Water* —1B **10**
Westbrook Gro. *Water* —4F **19**
Westbrook Rd. *Fare* —5B **28**
Westbury Clo. *Ports* —2F **29**
Westbury Mall. *Fare* —2B **26**
Westbury Rd. *Fare* —2B **26**
Westbury Sq. *Fare* —2B **26**
Westcliff Clo. *Lee S* —6H **37**
West Ct. *Ports* —6A **42**
West Ct. *S'sea* —4G **51**
Westcroft Rd. *Gos* —2B **48**
W. Downs Clo. *Fare* —5A **14**
Westerham Clo. *Ports* —3A **30**
Western Av. *Ems* —3B **34**
Western Ct. *Fare* —2A **26**
Western Pde. *Ems* —4C **34**
Western Pde. *S'sea* —4B **50**
Western Rd. *Fare* —2B **26**
Western Rd. *Hav* —1E **33**
Western Rd. *Ports* —3G **29**
Western Rd. Ind. Est. *Ports*
—3H **29**
Western Ter. *Ports* —3G **41**
Western Way. *Fare* —2A **26**
Western Way. *Gos* —4A **48**
Westfield Av. *Fare* —3H **25**
Westfield Av. *Hay I* —4B **54**
Westfield Ind. Est. *Gos* —3C **48**
Westfield Ind. Est. *Horn* —6D **6**
Westfield Oaks. *Hay I* —4B **54**
Westfield Rd. *Gos* —2B **48**
Westfield Rd. *S'sea* —4G **51**
Westgate. *Fare* —4E **37**
W. Haye Rd. *Hay I* —6F **55**
Westland Dri. *Water* —5H **19**
Westland Gdns. *Gos* —4C **48**
Westlands Gro. *Fare* —4A **28**
West La. *Hay I* —3A **54**
Westley Gro. *Fare* —3H **25**
West Lodge. *Lee S* —6F **37**
Westmead Clo. *Hay I* —4H **53**
Westminster Pl. *Ports* —6H **41**
Weston Av. *S'sea* —3H **51**
Weston Ct. *Ports* —3H **5**
Westover Rd. *Ports* —5D **50**
West Point. *Lee S* —1C **46**
West Rd. *Ems* —3B **34**
West Rd. *S'wick* —3E **17**
Westside Vw. *Water* —6E **9**
West St. *Ems* —3D **34**
West St. *Fare* —2A **26**
(in two parts)
West St. *Hav* —1D **32**
(in two parts)
West St. *Portc* —3H **27**
(in two parts)
West St. *Ports* —4H **49** (6A **4**)
West St. *S'wick* —3C **16**
West St. *Titch* —3B **24**
Westway. *Titch* —4A **12**
Westways. *Hav* —3H **31**
Westways. *Stub* —3F **37**
Westwood Clo. *Ems* —1E **35**
Westwood Rd. *Ports* —1A **42**
Weyhill Clo. *Fare* —2A **28**

Weyhill Clo. *Hav* —4D **20**
Weymouth Av. *Gos* —5F **39**
Weymouth Rd. *Ports* —4H **41**
Whaddon Chase. *Fare* —3D **36**
Whaddon Ct. *Hav* —3C **20**
Whale Island Way. *Ports*
—4G **41**
Whaley Rd. *Ports* —4F **41**
Wharf Rd. *Ports* —5G **41**
Wheatcroft Rd. *Lee S* —1D **46**
Wheatlands Av. *Hay I* —6G **55**
Wheatlands Cres. *Hay I*
—6G **55**
Wheatley Grn. *Hav* —3C **20**
Wheatsheaf Dri. *Water* —4F **9**
Wheatstone Rd. *S'sea* —4E **51**
Wheeler Clo. *Gos* —1D **48**
Wherwell Ct. *Hav* —4H **21**
Whichers Ga. Clo. *Row C*
—1H **21**
Whichers Ga. Rd. *Row C & Hav*
—1H **21**
Whimbrel Clo. *S'sea* —2B **52**
Whinchat Clo. *Fare* —5E **13**
Whippingham Clo. *Ports*
—3H **29**
Whitcombe Gdns. *Ports*
—1F **51**
Whiteacres Clo. *Gos* —2D **48**
Whitebeam Clo. *Fare* —3G **25**
Whitebeam Clo. *Water* —2C **10**
White Beam Ri. *Clan* —2G **7**
Whitechimney Row. *Ems*
—6F **23**
Whitecliffe Av. *Ports* —6C **42**
Whitecliffe Ct. *Gos* —3H **47**
White Cloud Pk. *S'sea* —4F **51**
White Cloud Pl. *S'sea* —4F **51**
Whitecross Gdns. *Ports*
—2B **42**
Whitedell La. *Fare* —5D **14**
White Dirt La. *Water* —3B **6**
White Hart All. *Ports*
—4A **50** (6B **4**)
White Hart La. *Fare* —4H **27**
Whitehart Rd. *Gos* —3D **48**
White Hart Rd. *Ports*
—4A **50** (6B **4**)
Whitehaven. *Fare* —4H **27**
Whitehaven. *Water* —1D **10**
White Horse La. *Water* —1B **8**
White Ladies Clo. *Hav* —2G **33**
Whiteley La. *Fare* —1A **12**
Whiteley Way. *White* —3A **12**
White Lion Wlk. *Gos* —2F **49**
White Lodge Gdns. *Fare*
—5G **13**
White Oak Wlk. *Hav* —4H **21**
Whites Ct. *Ports* —4H **41**
Whites Pl. *Gos* —2D **48**
White Swan Rd. *Ports*
—2B **50** (3E **5**)
Whitethorn Rd. *Hay I* —4D **54**
White Wings Ho. *Water* —3B **8**
Whitley Clo. *Ems* —4F **23**
Whitley Row. *S'sea* —2A **52**
Whitsbury Rd. *Hav* —4G **21**
Whitstable Rd. *Ports* —3A **30**
Whittington Ct. *Ems* —3D **34**
Whitwell Rd. *S'sea* —6E **51**
Whitworth Clo. *Gos* —3D **48**
Whitworth Rd. *Gos* —3C **48**
Whitworth Rd. *Ports* —5B **42**
Whyke Ct. *Hav* —1E **33**
Wickham Ct. *Gos* —4H **47**
Wickham Cft. *Wick* —2A **14**
Wickham St. *Ports*
—2A **50** (2B **4**)
Wickor Clo. *Ems* —1E **35**

Wickor Way. *Ems* —6E **23**
Wicor Mill La. *Fare* —4H **27**
Wicor Path. *Fare* —5B **28**
(Bayly Av.)
Wicor Path. *Fare* —4G **27**
(Cador Dri.)
Widgeon Clo. *Gos* —6H **39**
Widgeon Ct. *Fare* —3F **27**
Widley Ct. *Fare* —5A **26**
Widley Ct. Dri. *Ports* —4C **30**
Widley Gdns. *Water* —6F **19**
Widley Rd. *Cosh* —3C **30**
Widley Rd. *Ports* —3G **41**
Widley Wlk. *Water* —1B **30**
Wield Clo. *Hav* —5C **20**
Wigan Cres. *Hav* —1B **32**
Wight Vw. *Lee S* —6F **37**
Wigmore Ho. *Ports* —1D **50**
Wilberforce Rd. *Gos* —6E **49**
Wilberforce Rd. *S'sea*
—4C **50** (6F **5**)
Wilby La. *Ports* —1E **43**
Wildmoor Wlk. *Hav* —4H **21**
Wild Ridings. *Fare* —3D **24**
Wilkins Clo. *Water* —1F **7**
Willersley Clo. *Ports* —2G **29**
William Booth Ho. *Ports*
—2B **50** (1D **4**)
William Clo. *Fare* —4F **37**
William George Ct. *Lee S*
—2C **46**
William Price Gdns. *Fare*
—1B **26**
Williams Clo. *Gos* —6D **38**
Williams Rd. *Ports* —2D **42**
Willis Rd. *Gos* —3E **49**
(in two parts)
Willis Rd. *Ports* —2C **50** (2F **5**)
Willow Clo. *Hav* —2G **33**
Willowdene Clo. *Hav* —5B **20**
Willow Pl. *Gos* —2D **48**
Willows, The. *Ports* —3G **41**
Willows, The. *Water* —3A **8**
Willow Tree Av. *Water* —5B **10**
Willowtree Gdns. *Fare* —3G **25**
Willow Wood Rd. *Hay I*
—4C **54**
Wilmcote Gdns. *S'sea* —4H **5**
Wilmcote Ho. *S'sea*
—2D **50** (4H **5**)
Wilmott Clo. *Gos* —2B **48**
Wilmott La. *Gos* —2B **48**
Wilson Gro. *S'sea* —4D **50**
Wilson Rd. *Ports* —3G **41**
Wilton Clo. *Gos* —3B **48**
Wilton Dri. *Water* —2A **10**
Wilton Pl. *S'sea* —5D **50**
Wilton Ter. *S'sea* —5D **50**
Wiltshire St. *S'sea*
—3B **50** (4E **5**)
Wilverley Av. *Hav* —5G **21**
Wimbledon Pk. Rd. *S'sea*
—5D **50**
Wimborne Rd. *S'sea* —3G **51**
Wimpole Ct. *Ports* —1E **51**
Wimpole St. *Ports* —1D **50**
Wincanton Way. *Water* —6B **10**
Winchcombe Rd. *Ports* —2F **29**
Winchester Ct. *Gos* —2H **47**
Winchester Ho. *Hav* —4G **21**
Winchester Rd. *Ports* —5A **48**
Winchfield Cres. *Hav* —5B **20**
Winchfield Ho. *Gos* —3G **49**
Windermere Av. *Fare* —1F **37**
Windermere Ho. *Ports* —3F **29**
Windermere Rd. *Ports* —2B **42**
Windmill Clo. *Water* —1G **7**
Windmill Fld. *Water* —3C **8**
Windmill Gro. *Fare* —5H **27**

Windrush Gdns. *Water* —2F **19**
Windsor Ct. *Ports* —3B **30**
Windsor Ho. *Ports*
—2D **50** (2H **5**)
Windsor La. *S'sea*
—3D **50** (5H **5**)
Windsor Rd. *Cosh* —4B **30**
Windsor Rd. *Fare* —5B **28**
Windsor Rd. *Gos* —3C **48**
Windsor Rd. *Water* —5F **9**
Winfield Way. *Ems* —5D **22**
Wingate Rd. *Gos* —4F **39**
Wingfield St. *Ports* —6H **41**
Winifred Rd. *Water* —1G **19**
Winkfield Row. *Water* —2B **10**
Winkton Clo. *Hav* —6D **20**
Winnham Dri. *Fare* —2G **27**
Winnington. *Fare* —5F **13**
Winnington Clo. *Fare* —5F **13**
Winscombe Av. *Water* —5A **10**
Winslade Rd. *Hav* —4D **20**
Winsor Clo. *Hay I* —6F **55**
Winstanley Rd. *Ports* —4G **41**
Winston Churchill Av.
Ports & *S'sea* —3C **50** (4F **5**)
Winston Clo. *Hay I* —4A **54**
Winterbourne Rd. *Ports*
—2D **28**
Winterhill Rd. *Ports* —3H **29**
Winter Rd. *S'sea* —4G **51**
Winterslow Dri. *Hav* —3E **21**
Winton Rd. *Ports* —3B **42**
Wisborough Rd. *S'sea* —5E **51**
Wises All. *Gos* —3G **49**
Wises Ct. *Gos* —3G **49**
Wish Pl. *S'sea* —4E **51**
Wisteria Gdns. *Hav* —5H **21**
Witchampton Clo. *Hav* —4G **21**
Witherbed La. *Fare* —5A **12**
(in three parts)
Withies Rd. *Gos* —5D **38**
Withies Rd. *Gos* —1H **47**
Withington Clo. *Ports* —2F **29**
Witley Rd. *Water* —1H **9**
Wittering Rd. *Hay I* —5H **55**
Woburn Ct. *Lee S* —3D **46**

Wode Clo. *Water* —2C **6**
Wolverton Rd. *Hav* —4E **21**
Wonston Ct. *Hav* —3H **21**
Woodberry La. *Row C & Ems*
—1C **22**
Woodbourne Clo. *Fare* —2F **25**
Woodbury Av. *Hav* —3F **33**
Woodbury Gro. *Water* —2H **9**
Woodcot Cres. *Hav* —3G **21**
Woodcote La. *Fare* —2A **38**
Woodcroft Gdns. *Water* —2H **9**
Woodcroft La. *Water* —2H **9**
Woodfield Av. *Ports* —2G **31**
Woodfield Pk. Rd. *Ems* —2F **35**
Woodgason La. *Hay I* —4E **45**
Woodgreen Av. *Hav* —1D **32**
Woodhall Way. *Fare* —6G **13**
Woodhay Wlk. *Hav* —3H **21**
Woodhouse La. *Ids* —1G **11**
Woodhouse La. *Row C & Hav*
—3H **11**
Woodhouse Rd. *Horn* —5F **7**
Woodington Clo. *Hav* —3G **21**
Woodlands. *Fare* —1D **26**
Woodlands Av. *Ems* —6C **22**
Woodlands Clo. *Gos* —1G **47**
Woodlands Gro. *Water* —4F **19**
Woodlands La. *Hay I* —2A **54**
Woodland St. *Ports* —1E **51**
Woodlands Way. *Hav* —5F **21**
Woodland Vw. *Water* —1H **9**
Wood La. *S'wick* —3E **17**
Woodleigh Clo. *Hav* —6A **22**
Woodley Rd. *Gos* —3E **49**
Woodmancote La. *Wdcte*
—4H **23**
Woodmancote Rd. *S'sea*
—3G **51**
Woodpath. *S'sea*
—4C **50** (6G **5**)
Woodpath Ho. *S'sea*
—4C **50** (6G **5**)
Woodpecker Clo. *Hav* —2H **33**
Woodroffe Wlk. *Ems* —5D **22**
Woodrow. *Water* —3A **8**
Woodsedge. *Water* —3A **20**

Woodside. *Gos* —6B **26**
Woodside. *S'sea* —4C **50**
Woodstock Av. *Water* —2A **10**
Woodstock Clo. *Fare* —2G **25**
Woodstock Rd. *Gos* —4E **49**
Woodstock Rd. *Hav* —1C **32**
Woodvale. *Fare* —1F **25**
Woodville Dri. *Ports*
—4B **50** (6D **4**)
Woodville Rd. *Hav* —1B **32**
Woodward Clo. *Gos* —3B **48**
Woofferton Rd. *Ports* —2E **29**
Woolmer Ct. *Hav* —4H **21**
Woolmer St. *Ems* —5C **22**
Woolner Av. *Ports* —3C **30**
Woolston Ct. *Gos* —4A **48**
Woolston Rd. *Hav* —3C **20**
Wootton Rd. *Lee S* —3E **47**
Wootton St. *Ports* —4B **30**
Worcester Clo. *S'sea*
—3D **50** (5H **5**)
Worcester Ct. *Gos* —1G **47**
Wordsworth Av. *Ports* —2C **28**
Workshop Rd. *S'wick* —1E **29**
Worldham Rd. *Hav* —3H **21**
Worsley Rd. *S'sea* —4C **50**
Worsley St. *S'sea* —5G **51**
Worthing Av. *Gos* —5F **39**
Worthing Rd. *S'sea* —5D **50**
Worthy Ct. *Hav* —4H **21**
(in two parts)
Wraysbury Pk. Dri. *Ems*
—5D **22**
Wren Cen., The. *Ems* —6E **23**
Wren Way. *Fare* —3F **27**
Wrexham Gro. *Water* —2B **6**
Wright Clo. *White* —3B **12**
Wyborn Clo. *Hay I* —5C **54**
Wych La. *Gos* —1B **38**
Wycote Rd. *Gos* —1B **38**
Wyeford Ct. *Hav* —3H **21**
Wykeham Av. *Ports* —4A **42**
Wykeham Fld. *Wick* —2A **14**
Wykeham Rd. *Ports* —4A **42**
Wyllie Rd. *Ports* —1A **42**
Wymering La. *Ports* —3A **30**

Wymering Mnr. Clo. *Ports*
—3H **29**
Wymering Rd. *Ports* —5A **42**
Wyndcliffe Rd. *S'sea* —4E **51**
Wyndham Clo. *Water* —3B **10**
Wyndham M. *Ports*
—4A **50** (6C **4**)
Wyn Sutcliffe. *S'sea* —4G **51**
Wynton Way. *Fare* —6E **13**

Yaldhurst Ct. *Hav* —3H **21**
Yapton St. *Ports*
—2C **50** (2G **5**)
Yarborough Rd. *S'sea*
—4C **50** (6F **5**)
Yardlea Clo. *Row C* —6H **11**
Yardley Clo. *Ports* —1E **43**
Yateley Clo. *Hav* —4C **20**
Yeo Ct. *S'sea* —3A **52**
Yewside. *Gos* —3D **38**
Yews, The. *Horn* —6D **6**
Yew Tree Av. *Cowp* —5B **10**
Yew Tree Gdns. *Den* —3A **8**
Yew Tree Rd. *Hay I* —5C **44**
Yoells Cres. *Water* —1H **9**
Yoells La. *Water* —1H **9**
York Cres. *Lee S* —3E **47**
Yorke St. *S'sea* —3B **50** (5E **5**)
York Gdns. *Fare* —5C **28**
York Ho. *Gos* —3F **49**
York Pl. *Ports* —1B **50** (2D **4**)
York Ter. *Ports* —6B **30**
Youngbridge Ct. *Fare* —4A **26**
Yves M. *S'sea* —5D **50**

Zetland Path. *Ports* —4F **31**
Zetland Rd. *Gos* —2D **48**
Zetland Rd. *Ports* —4F **31**
Zeus La. *Water* —6H **19**
Zurich Cen., The. *White*
—2A **12**